Cae en la tentación

Cae en la tentación

Maya Banks

Traducción de
Scheherezade Surià

TERCIOPELO

Título original: *Giving in*

© Maya Banks, 2014

Primera edición en este formato: mayo de 2015

© de la traducción: Scheherezade Surià
© de esta edición: Roca Editorial de Libros, S. L.
Av. Marquès de l'Argentera 17, pral.
08003 Barcelona
info@rocabolsillo.com
www.rocabolsillo.com

© del diseño de portada: Sophie Guët
© de la imagen de cubierta: Plainpicture / Cristopher Civitillo

Impreso por LIBERDÚPLEX,
Crta. BV-2249, km 7,4, Pol. Ind. Torrentfondo
Sant Llorenç d'Hortons (Barcelona)

ISBN: 978-84-15729-97-6
Depósito legal: B. 9.530-2015
Código IBIC: FP; FRD

Papel certificado FSC

RB29976

Para Sandra,
la madre de mi corazón

Uno

—Vaya careto llevas —dijo Jensen Tucker cortante en el umbral del despacho de Kylie Breckenridge.

Kylie le lanzó una mirada con la que hubiera fulminado a cualquier otro hombre, pero a Jensen le afectaba bien poco su frialdad. Fingía que no tenía ni idea de lo que la exasperaba tanto. Pero no, ella imaginaba que sabía muy bien lo mucho que la molestaba y que optaba por no hacerle caso. Era un hombre testarudo, insufrible y tremendamente controlador. Era precisamente la clase de tío que solía evitar a toda costa.

Solo que era su jefe. Eso le hizo torcer el gesto aún más. Carson había sido su jefe; él y Dash. Cuando su hermano murió hacía ya tres años, Dash pasó a ser su único jefe y para ella ya era suficiente.

Jensen, el nuevo socio, debería contratar a su asistente personal de una vez por todas, pero no, se contentaba con cargarle todo el trabajo a ella, y cabrearla a la vez.

—Vaya, gracias —dijo ella en un tono que hacía juego con la mirada asesina—. Me alegra saber que he pasado el proceso de selección para trabajar aquí.

Jensen entró en su despacho sin que le invitara a pasar. Claro que nunca hubiera entrado si esperara que le diera permiso. Ella ya le había dejado muy claro que no lo quería cerca. Otra cosa que él optaba por ignorar.

Se sentó en una de las sillas frente a su mesa y Kylie tomó nota mental para deshacerse de ellas. No le hacían falta. Jensen y Dash eran los que se reunían con los clientes.

En realidad no hacía falta que nadie entrara en su despacho. Hacía su trabajo tranquila y eficientemente, y nunca quería llamar la atención. Por algún motivo que desconocía, Jensen parecía decidido a invadir su espacio personal. Algo que la frustraba cada vez más desde que el nuevo socio entrara a trabajar en la consultoría unas semanas atrás.

—No duermes —le dijo con el mismo tono sincero con el que le había dicho que tenía mala cara.

La miraba intensamente mientras repasaba sus facciones y sabía qué veía. Lo que ella misma veía en el espejo cada mañana: una mirada atormentada por los fantasmas del pasado y unas ojeras que parecían marcadas para siempre. Sabía qué aspecto tenía. No hacía falta que viniera ningún gilipollas a recordárselo.

—No era consciente de que mi aspecto o mis hábitos de sueño interfiriesen con mis obligaciones laborales.

Jensen hizo caso omiso de su sarcasmo básicamente porque pasaba de todo en general. No le había visto expresar ningún tipo de emoción ni una sola vez. No se alteraba ni se enfadaba, pero tampoco le había visto contento o animado por nada. Solo tenía esa mirada escrutadora que lo veía todo. Era como si le quitara capas de piel... y de la mente. Le molestaba muchísimo. Se sentía vigilada, como si la mirase con lupa. No le extrañaría que supiera incluso cuántas veces iba al servicio.

Nunca se le escapaba nada. Era un hombre callado y observador. Se limitaba a estudiar a los demás. Para su trabajo era ideal, pero a ella la ponía de los nervios. Ya podría dejar esos escrutinios para los asuntos de consultoría en los que trabajaban Dash y él. Esas empresas necesitaban su mirada sagaz e imparcial; ella ni la necesitaba ni la quería.

—Haces un trabajo estupendo, Kylie. Creo que nunca te he dado motivos para que dudes de lo mucho que confío en tus habilidades. De no ser así, discúlpame. No sé qué haríamos Dash y yo sin ti.

Ella parpadeó, sorprendida por la gratuidad de su cumplido. Muy a su pesar, se ruborizó y empezó a notar calor en las mejillas. No quería que se diera cuenta de lo mucho que le agradaba el halago que acababa de hacerle.

—¿Cuándo ha sido la última vez que has dormido? —le preguntó con énfasis y sin dejar de mirarla atentamente.

—Anoche —respondió ella en voz baja—, como cada noche.

—Y una mierda.

Puso los ojos como platos al oírle tan tajante.

—Me sorprendería que durmieras un par de horas seguidas. ¿Por qué no te tomas unos días libres? Vete a algún sitio. Relájate. Tómate unas vacaciones. Dash me dijo que no te habías tomado ni un solo día de fiesta. Bueno, solo cuando murió Carson.

Kylie se encogió de pena, incapaz de controlar el dolor que le perforaba el pecho.

—Puedes decirlo —prosiguió Jensen en un tono casi brutal—. Está muerto, Kylie. Joss ha seguido adelante. ¿Por qué no puedes hacer tú lo mismo?

Ella golpeó la mesa con ambas manos y se incorporó, fulminándolo con la mirada, pero sin moverse ni un ápice.

—Era mi familia —le espetó—. Era la única familia. Lo único que me quedaba en el mundo. Era el único que me quería, que me protegía, y ahora ya no está.

—Bueno, por fin muestras algo de emoción, Kylie, aunque sea echando humo. Al menos no te comportas como un dichoso robot con el piloto automático puesto. ¿Tanto te cuesta ser humana como los demás? Estas cosas pasan. Tienes que afrontarlas, recoger las piezas y seguir adelante, como todo el mundo. No eres especial. No eres la única con un pasado de mierda que ha perdido a un ser querido.

La rabia le nublaba la vista; empezaba a ver el despacho borroso. La ira le endurecía las facciones y por un momento se quedó paralizada, incapaz de hablar por el nudo que tenía en la garganta.

—¿Cómo te atreves? —le increpó—. ¿Quién narices te crees que eres para juzgarme? No sabes una mierda de mí. Sal de mi despacho ahora mismo y no vuelvas. Si quieres o necesitas lo que sea, me envías un correo electrónico, me llamas o me envías un mensaje, pero no vuelvas a entrar.

Él no reaccionó al rapapolvo. Para su asombro, una ligera sonrisa se asomó a sus labios.

—Sé mucho más de ti de lo que te crees, pero tienes razón: no lo sé todo. Sin embargo, pienso ponerle remedio ahora mismo. Tú y yo trabajaremos codo con codo durante las próximas semanas porque Dash y Joss se van de luna de miel. Queremos firmar un contrato con Simpson & Gerrick Oil y es un buen pellizco. Están recortando la plantilla y quieren deshacerse de lo superfluo. Librarse de los trabajadores improductivos y reorganizar las tareas: decidir quién se va y quién se queda. Y eso recaerá en ti y en mí.

Kylie puso los ojos como platos.

—No tengo experiencia en estas cuestiones. Lo mío es un trabajo de fondo, Jensen, ya lo sabes. Yo llevo los temas de oficina; Dash y tú sois los asesinos despiadados.

—¿Y no te ves con el valor suficiente?

Ella se ruborizó. Reconocer sus puntos débiles no estaba en su lista de cosas que quería revelar.

—Vas de borde. Eres de trato áspero, hasta con la gente que te quiere. Me pregunto por qué puede ser. ¿Tanto miedo tienes de amar a alguien, de acercarte a esa persona y perderla igual que a Carson? Porque a mí no me engañas, Kylie. No me engañas lo más mínimo. Debajo de ese exterior de piedra hay una mujer vulnerable y de gran corazón, y esa mujer es la que quiero descubrir. Y lo haré. Quien avisa no es traidor, cariño. Tú y yo nos vamos a ver muchísimo más, así que ya puedes ir acostumbrándote.

—Vete —dijo ella apretando los dientes—. No tengo por qué aguantar esto en mi propio despacho.

Él se encogió de hombros.

—Da igual dónde te lo diga porque la cosa no va a cambiar. Tú y yo, juntos. Siempre lucho por lo que quiero y nunca fallo. Nunca.

Ella resopló; notaba cómo le subía la tensión y se le cortaba la respiración. Sus palabras la aterraban, pero, al mismo tiempo, captaba algo en ellas que le aceleraba el pulso.

Jensen Tucker era todo lo que no quería en un hombre, aunque tampoco quería ninguno ni regalado. Y aún menos un macho alfa, dominante y autoritario. No estaba dispuesta a volver a adoptar una postura de vulnerabilidad y estaba claro que con Jensen sería vulnerable. Joder, si hasta se la comería viva. La masticaría y la escupiría en cuestión de segundos.

—No te hagas ilusiones —dijo ella en un tono cortante—. No pasará en la vida. Y como vuelvas a insinuármelo siquiera te vas a llevar tal denuncia por acoso que ni te la esperas.

Él sonrió y la dejó patidifusa. Se la quedó mirando de forma inexpresiva, repasándola de arriba abajo como si quisiera darle la sensación de que la desnudaba con la mirada.

—Mira, tienes que saber algo más de mí, cariño. Me encantan los retos. Decirme que no es como ondear un capote rojo delante de un toro cabreado.

—No me llames cariño. Eso resérvatelo para una mujer a quien le importe, porque a mí me importa una mierda.

Él sonrió aún más y juró que era la primera vez que le veía reír de verdad. Siempre estaba muy callado y taciturno. No fruncía el ceño, pero tampoco solía sonreír. Llevaba una especie de expresión inescrutable que la ponía de los nervios porque no sabía en qué puñetas estaba pensando.

No obstante, tenía la impresión de que había estado pensando en ella. Y mucho, además.

Repasó mentalmente la colección entera de insultos que tenía en su acervo y le añadió unos cuantos más por si acaso.

—Te lo dejaré clarito ya que te gustan los retos. Yo no soy ningún reto, Jensen. Nunca lo seré porque no tienes ninguna posibilidad conmigo. Además, estás loco. ¿Qué vería un hombre como tú en una chica como yo? Según tú, tengo miedo hasta de mi sombra. Al parecer también soy tímida, tengo un aspecto horrible y tengo más problemas que un libro de matemáticas.

Él se incorporó, haciendo caso omiso de su arrebato, lo que aún la cabreaba más. Jensen ni se inmutó ante sus comentarios. Entonces se apoyó en su mesa hasta que quedaron cara a cara, casi nariz con nariz. Para su sorpresa, él le acarició ligeramente las ojeras oscuras.

—Necesitas ayuda, Kylie —dijo en voz baja—. Ve a un médico y que te dé algo que te ayude a dormir. Consulta a un loquero si hace falta, pero no puedes seguir así. Tarde o temprano te vendrás abajo. Y entonces te desmoronarás y estallarás. Si no quieres hacerlo por ti, hazlo por las personas que te quieren y que están preocupadas por ti.

Y antes de que tuviera tiempo para responder a esa tontería, él se dio la vuelta, salió del despacho y cerró la puerta.

Ella se recostó en la silla y hundió la cara entre las manos; de repente se sentía tan cansada que ni siquiera lograba sostener la cabeza.

Tenía razón. Eso la cabreaba aún más. Estaba pisando una línea muy difusa entre la locura y la cordura. No dormía bien porque las pesadillas la despertaban cada dos por tres. Pesadillas del pasado. Los demonios de su pasado que seguían controlando su presente.

Pero de ahí a ir al loquero o pedirle pastillas al médico iba un trecho. Eso sería como admitir la derrota y ella no era ninguna rajada. No, ella no era así. Había sobrevivido a un infierno y ya lo había superado. O tal vez no.

Tal vez seguía siendo igual de prisionera que de niña. Los abusos sexuales de su padre estaban demasiado frescos porque no podía olvidarlos. No podía superar algo así. No podía hacer las paces con su pasado.

Cerró los ojos cuando notó que la invadía otra oleada de fatiga. Dormir. Necesitaba una sola noche sin las pesadillas que la acosaban. Quizá podría pararse en una farmacia de camino a casa por si tuvieran algo para dormir sin necesidad de receta. Así no tendría que pasar la vergüenza de ir al médico o aún menos, al loquero, donde tendría que tumbarse en un diván y desnudar el alma.

Que no. Se moriría antes de dejar que nadie conociera su vergüenza y su tormento.

¿Qué tenía esa mujer que lo llevaba al borde de la locura? Jensen volvía a su despacho, absorto en sus pensamientos. Tenía una montaña de papeles en la mesa, contratos que revisar y firmar, en el caso de que no hicieran falta cambios. En las próximas dos semanas, estaría al timón de la empresa mientras Dash se llevaba a Joss de luna de miel.

Dash era tan feliz que daba asco. Ahora que había enmendado esa cagada de proporciones épicas, claro. Joss era una buena mujer. La mejor. Era un cabrón con suerte por haber conseguido ganarse su corazón. Era una mujer hermosa y sumisa que hacía siempre lo que él quería. Su confianza, su amor y su entrega incondicional.

Dicho de otro modo, todo lo contrario que la mujer que habitaba en su pensamiento últimamente.

Kylie Breckenridge era muy borde, pero cada vez que lo fulminaba con la mirada, se le ponía dura como una piedra. La deseaba tanto que se le cortaba la respiración a su lado. Eso lo cabreaba.

Esa mujer era terreno vedado, la antítesis perfecta de las mujeres con las que le gustaba follar. Y sí, decía «follar» porque era exactamente eso. Nunca abría su corazón. Su necesidad de control descartaba cualquier noción de amor o cariño.

Tampoco es que fuera un cabronazo con las mujeres a las que dominaba. Se aseguraba de que se sintieran protegidas, cuidadas y que quedaran sexualmente satisfechas.

¿Pero Kylie?

Joder. Lo último que esa mujer necesitaba era un macho alfa dominante, si es que necesitaba un hombre, claro estaba. No podía culparla. Dash le había contado la dura infancia que había tenido. Le enfurecía que hubieran abusado tanto de ella, que la hubiera humillado la única persona en su vida en la que debería haber podido confiar su protección: su padre.

Pero cuando la miraba, veía más allá de esa fachada y reparaba en algo que le ablandaba el corazón de tal forma que hasta le dolía. Le entraban ganas de abrazarla, quererla y enseñarle cómo podría ser su vida con un hombre que siempre tuviera presentes sus intereses. Un hombre que se preocupara por ella.

Pero ¿así era? Esa era la pregunta del millón. Se preocupaba, sí, ¿pero cuánto? ¿Acaso era —como él mismo había dicho antes— un simple reto, algo que conseguir antes de pasar a otra cosa? Le encantaban los retos. Eso era lo que le había ayudado a alcanzar el éxito a una edad tan temprana. Así pues, ¿cuánto se preocupaba por Kylie Breckenridge? No era una mujer con la que jugar. Ya albergaba dolor suficiente para dos vidas y tenía muy claro que no quería ser otro hombre que la destrozara.

No se engañaba pensando que podía «arreglarla». Nadie podía conseguirlo salvo ella. Sin embargo, tenía que quererlo y de momento no daba señales de hacerlo ella misma, con lo que aún le entraban más ganas de pasar a la acción y empujarla un poco.

Las ganas de dominarla eran abrumadoras. Le latían como si fueran el pulso mismo de solo pensarlo, aunque sabía que Kylie no era una mujer que dominar. No era de las que se entregarían. Nunca. Físicamente no, al menos. No obstante, la dominación iba mucho más allá de toda la pompa que acompañaba una relación así. La entrega emocional era mucho más fuerte, y, tal vez era lo que anhelaba cuando miraba a esos ojos apesadumbrados.

Ella necesitaba un hombre que la amara, que la protegiera de cualquier daño, que le diera abrigo, un lugar donde refugiarse del resto del mundo. Necesitaba un hombre al que acudir, alguien a quien confiarle su protección ante cualquier amenaza. Una amenaza no solo física sino emocional, porque esta última era muchísimo peor que la física.

Era infinitamente frágil. Muy vulnerable. La observaba,

la miraba mucho, y cuando creía que nadie la veía, perdía esa fachada de frialdad y salía esa muchacha asustada que se escondía tras ese férreo exterior.

Era muy compleja, como un misterio que él estaba dispuesto a resolver. Pero ¿cómo?

Su modus operandi no funcionaría con ella. No podía acercarse, tomar el control y dictarle las normas según las cuales todo tenía que ir. Ya había tratado de hacer precisamente eso hacía unos minutos y había sido como rebotar contra una pared.

Le cortaría los testículos con un cuchillo oxidado si volvía a presionarla de ese modo y, bueno, tampoco podía culparla.

Ella no tenía ningún motivo para confiar en él, pero ardía en deseos de ver el otro lado de las barreras que ella había erigido con tanto esmero. Solo era con los más cercanos a ella con los que bajaba la guardia y podía atisbar a la auténtica Kylie.

Suave. Dulce. Tremendamente leal y protectora con sus seres queridos.

Él quería enseñarle que no todos los hombres eran unos cabronazos de mierda. Quería demostrarle que la dominación no equivalía a dolor o a humillación; que la dominación era algo más. Que la entrega emocional era la más fuerte de todas, pero que también volvía vulnerables a las personas. Y eso la aterraría tanto como los aspectos más físicos de la dominación y la sumisión.

Con esta mujer tenía que ir con pies de plomo. Su forma de acercamiento habitual no le servía y tendría que sacarse algo nuevo de la manga. Como ya había dicho, era un reto. Un desafío que estaba dispuesto a superar. No se le había ocurrido el cómo. Todavía. Pero no era ningún rajado. Lo decía muy en serio cuando le había contado que siempre iba a por lo que quería y nunca fracasaba. Nunca.

Siempre había una primera vez para todo, o eso rezaba el dicho. No iba a permitir que su primer fracaso fuera Kylie Breckenridge.

Dos

—$\mathcal{K}$ylie, ¿puedes venir a mi despacho? —preguntó Jensen por el intercomunicador.

Sabía que la convocatoria la sacaría de quicio, pero como ella le había dejado muy claro que no quería que entrara en su despacho, su espacio, tendría que hacer que viniera a él. No era una petición tan irracional, al fin y al cabo él era el jefe y ella su asistente personal.

—Ahora mismo, señor —respondió en un tono tajante que lo hizo sonreír.

Estaba empecinada en mantener su relación —si es que se podía decir que tenían una relación— estrictamente impersonal y confinada a la de jefe y empleada.

Sabía que no le gustaba nada que Dash estuviera fuera de la oficina durante tanto tiempo porque él hacía las veces de mediador entre Jensen y Kylie. La mayoría de las órdenes provenían de Dash, hasta las que tenían que ver con él, porque este siempre trataba de protegerla.

Pero se acabó. Si iban a trabajar juntos a largo plazo, y eso era lo que él pretendía, Kylie tendría que aprender a tratarlo. Quería tantearla. Era muy inteligente. Hasta tenía un máster en Administración de Empresas que, en su opinión, desaprovechaba en su puesto actual. Ella se sentía cómoda desempeñando ese trabajo; sabía que a ella ya le gustaba estar así.

No le gustaba salirse de su zona de confort. Le encantaba la rutina, rasgo que compartían, aunque a ella le fastidiara pensar que tuvieran algo en común.

Sin embargo, tenían mucho más cosas en común de lo

que Kylie sabía o quería reconocer. Ambos eran trabajadores disciplinados, amantes del control. No dudaría en embarcarse en una lucha de voluntades, una pelea que estaba dispuesto a ganar. Solo esperaba no atosigarla demasiado y que quisiera dejar el trabajo.

Al cabo de un momento, Kylie apareció por la puerta, con el rostro inexpresivo, y lo miró con frialdad.

—¿Querías algo, jefe?

—Déjate de «jefes» —repuso él, seco—. A Dash no lo llamas así. Con mi nombre basta. Llámame Jensen o nada.

Ella apretó los labios y él suspiró.

—¿Es que todo van a ser tiranteces, Kylie? Te he pedido algo muy sencillo. Dilo. Di mi nombre —la retó—. No te hará daño.

—¿Qué querías…, Jensen?

El nombre sonó algo ahogado, como si hubiera tenido que arrancárselo de la boca. Por algo se empezaba.

Él le hizo un ademán para que se sentara en la silla frente a su mesa. A regañadientes, la muchacha tomó asiento y entrelazó las manos con aire remilgado. Tenía una mirada de miedo, como la del animal que está preparado para salir por patas a la primera señal de peligro. Jensen dudaba de que ella supiera que se le notara tanto el miedo. Tenía unos ojos enormes, las fosas nasales más abiertas y casi le veía el pulso latiendo con fuerza en el cuello.

—No voy a saltar por encima de la mesa para atacarte —murmuró.

Ella entrecerró los ojos con gesto de fastidio.

—Te daría una paliza si lo intentaras siquiera.

Jensen echó la cabeza hacia atrás y se rio; ella abrió los ojos aún más, sorprendida. Parecía… impactada.

Recobró la compostura y la miró, curioso.

—¿Y esa mirada?

Ella la bajó inmediatamente y se quedó callada.

—¿Kylie?

Ella suspiró y levantó la cabeza, echó el mentón hacia delante y adoptó una mirada rebelde.

—Solo es que nunca te he visto reír. Ni sonreír, vaya. En el despacho, hace un rato, ha sido la primera vez que te he visto un aire de ligero interés. No sueles demostrar las emociones. Nadie sabe nunca en qué estás pensando.

Él arqueó una ceja. Así que lo había estado estudiando. Lo conocía bastante para saber que se había pasado mucho tiempo observándolo, a él y sus reacciones.

Jensen volvió a sonreír y reparó en que ella volvía a sorprenderse.

—Más de uno me ha acusado de ser un cabronazo estirado —comentó, divertido—. Será que consigues sacarme ese lado que nadie más ve.

Ella puso mala cara.

—Bueno, ¿querías algo? —preguntó, visiblemente deseosa por terminar la reunión.

Él no pensaba dejarla volver a su despacho, donde se refugiaría de todo el mundo. Sabía que se iba directa a casa cada día, que no tenía vida social salvo las comidas con Chessy y Joss, sus dos mejores amigas. De hecho, Kylie solo se relacionaba con su círculo de amistades.

Debía de ser una vida muy solitaria y no le gustaba nada eso para ella. No le gustaba que su pasado moldeara su futuro —que siguiera moldeándolo incluso ahora— y que la muchacha no fuera capaz de poder librarse de las ataduras de su infancia.

Ordenó el montón de papeles que tenía delante.

—Quiero que repases estos perfiles. Como te he comentado antes, S&G Oil va a reducir el personal en una de sus refinerías. Necesitan recortar el gasto en cien millones de modo que quieren ver cómo combinar los puestos de trabajo. Pretenden eliminar unos treinta cargos, al menos, y recortar gastos innecesarios; y quieren que nosotros los identifiquemos.

Kylie se quedó estupefacta.

—Pero, Jensen, yo no sé nada de esto. Soy administrativa.

Él volvió a sonreír mientras observaba su reacción. Sabía

que no le era indiferente y que eso la cabreaba aún más.

—Quiero que aprendas —le explicó—. Cuando Carson vivía, Dash y él querían buscar a un tercer socio. El negocio era seguro e iba bien. Al morir Carson, fue demasiado para Dash y tuvo que espabilarse para mantenerlo solvente hasta que me contrató. Aún necesitamos a un tercer socio y tú tienes las credenciales necesarias. Lo único que te falta es experiencia.

Se quedó boquiabierta y sin habla. Él se hinchó de orgullo por haber causado tal anomalía: a la chica nunca le faltaban las réplicas.

—¿Quieres que sea socia? —preguntó en un tono estridente.

—No puedo prometértelo —repuso él con diplomacia—. Tómate esta oportunidad como una prueba de fuego. No pasará ni hoy ni mañana, ni siquiera durante los próximos meses, pero no nos hace falta buscar a otro socio si ya tenemos a una persona que trabaja para nosotros y es perfectamente capaz. Sabes todo lo que pasa en esta oficina, Kylie. Todo pasa por ti. Conoces a nuestros clientes, programas nuestras reuniones y conoces los entresijos del negocio. No veo motivos para que no puedas optar a un ascenso.

Ella bajó la vista a los papeles que le había pasado por la mesa. Era la información que ella misma había recopilado y organizado para él y Dash. Sí, estaba familiarizada con el caso.

Creyó ver una chispa de excitación en su mirada, pero se apagó antes de poder verla bien.

—¿Qué quieres que haga? —preguntó ella con una voz ronca.

—Tenemos una reunión con el director financiero de S&G dentro de tres días. Quiero que me acompañes. Dispones de tres días para conocer su empresa: los cargos, los sueldos y las responsabilidades de cada uno de los empleados de la lista. Sus gastos generales y cada céntimo que invierte en lo que sea. Quiero que redactes tu plan y me lo presentes dentro de dos días. Quiero ver tus ideas y luego las barajaremos antes de reunirnos con el director.

Ella lo miraba, incrédula.

—¿Me confiarías este contrato?

—Aún no he dicho si estaré de acuerdo con tus ideas o no —repuso suavemente—, solo te he comentado que quiero verlas. Luego quedaremos, veremos en qué nos ponemos de acuerdo y redactaremos un plan de acción que incorpore nuestras ideas antes de asistir a esa reunión.

—No me lo esperaba —musitó ella.

Reparó en el brillo de su mirada. Le encantaban los retos tanto como a él. No se equivocaba. Estaba desaprovechada como administrativa. Era un cargo demasiado seguro; podía desempeñar esas funciones dormida, incluso. Necesitaba algo así, algo que le bombeara la sangre con más fuerza y le recordara que aún estaba viva.

—Tengo fe en ti, Kylie. ¿Puedes decir lo mismo de ti misma?

Esta vez su mirada era de fuego puro y él tuvo que contener una sonrisa de triunfo. Sí, la apasionaban los retos; quizá nunca le habían lanzado un desafío semejante. Dash le había puesto las cosas demasiado fáciles. No esperaba que fuera un gilipollas con ella, pero la había tenido entre algodones desde que Carson había muerto. Y por lo que le había dicho el mismo Dash, Carson también la había protegido del mismo modo. Ninguno de los dos había querido hacer nada que pudiera herir a esta frágil mujer.

Pero su fragilidad enmascaraba a la mujer inteligente y fogosa debajo de ese caparazón y Jensen estaba dispuesto a sacarla de ahí. Dash le daría una buena si supiera lo que estaba haciendo, pero, durante dos semanas, él estaba al cargo de todo y Dash no tendría ni idea de lo que pasara en la empresa, como era debido, claro. Jensen pensaba aprovechar al máximo todo ese tiempo.

—Puedo hacerlo —contestó ella con determinación—. ¿Cuándo quieres que quedemos para repasar mi propuesta?

—El miércoles por la noche. Cenaremos en Capitol Grill.

Sé que a ti y a las chicas os gusta el Lux Café, pero prefiero algo más tranquilo y más íntimo ya que vamos a hablar de temas confidenciales. Reservaré una mesa en un rinconcito tranquilo donde no nos oiga nadie.

Kylie frunció el ceño y casi pudo ver cómo se movían las ruedecillas dentadas en su cabeza.

—¿Qué podría ser más privado que aquí en el despacho? —preguntó—. Creo que no hace falta salir a cenar.

—No —convino él—, pero es lo que quiero.

Ella no le dijo nada, aunque él vio que no le hacía mucha gracia salir a cenar juntos.

—Haré la reserva a las siete —continuó como si no fuera consciente de su incomodidad—. Leeré tu propuesta antes y hablaremos del tema durante la cena. Prepararé el análisis final antes de la reunión con el director financiero. Te recogeré en tu casa a las ocho de la mañana del martes e iremos juntos a la reunión con él a su despacho de S&G.

Notaba que estaba librando una lucha interna. No quería cenar con él ni siquiera verle fuera del trabajo, no quería ir con él a la reunión, pero tampoco quería dejar pasar la oportunidad que le brindaba.

Se mordió el labio, consternada, y a él le entraron unas ganas tremendas de acariciarlo con el dedo y besárselo después para aliviar el daño que se estaba haciendo en la tierna carne del labio. Su pene reaccionó a esa imagen y se alegró de estar sentado a la mesa donde ella no pudiera ver la reacción física que le provocaba. Huiría con el rabo entre las piernas como alma que lleva el diablo y le llegaría su renuncia al cabo de una hora.

Él suspiró e interiormente le pidió a su polla que se comportara. No es que sirviera de mucho ya que esa mujer era pura excitación y ni se lo explicaba. Reto. Era un reto. Eso debía de ser porque no podía resistirse a los retos. Y aunque trataba de rebatir la atracción inexplicable que sentía por esa mujer, en absoluto recíproca, sabía que se estaba mintiendo.

Le despertaba el instinto de protección; hacía que quisiera tratarla con delicadeza, amarla y protegerla de todo lo que pudiera hacerle daño, ya fuera física o emocionalmente.

Joder, quería enseñarle que no todos los hombres eran unos capullos. Que no todos los dominantes se centraban únicamente en los aspectos físicos de la dominación. Él iba tras la entrega emocional de Kylie. Nunca la marcaría; nunca la ataría; nunca acercaría el látigo a su piel suave. Nunca haría nada que la asustara o la hiciera sentir tan vulnerable como en el pasado, en manos de un monstruo. Nunca haría nada que le hiciera recordar los abusos sufridos de niña. Antes preferiría morir que permitir que eso ocurriera. Él también tenía demonios con los que lidiar, y se le revolvería el estómago literalmente si alguna vez le hiciera a una mujer cualquier cosa que pudiera considerarse un abuso.

La quería… sin más.

—De acuerdo —dijo ella al final con una voz ronca que le excitó más aún por la rendición que oía en sus palabras. No era sumisión, pero se le acercaba y eso hacía que la sangre le fluyera con más fuerza porque esta vez había ganado.

—Quedamos a las siete en el restaurante —dijo ella.

Kylie levantó la cabeza y lo miró desafiante, como si le retara a discutírselo. Él se limitó a sonreír. Le permitiría esta pequeña victoria porque la mayor ya era suya. Una cena. Los dos solos. Sí, hablarían de negocios, pero también pensaba saber más de esta intrigante mujer. Quería averiguar qué la movía, qué la empujaba a vivir. Y al día siguiente la recogería y la llevaría a la reunión, lo que significaría que dependería de él todo el día.

Le gustaba esa idea. Le gustaba demasiado, incluso, que dependiera de él. No la defraudaría, no quería que se arrepintiera de esa confianza que había depositado en él a regañadientes. Sí, sabía que aún no confiaba en él; ese sería el mayor escollo. Bueno, paso a paso. Victoria a victoria, por muy pequeña que fuera.

—A las siete, entonces —convino él.

Ella estaba sorprendida, se le notaba en la cara. Seguramente esperaba una discusión porque tenía los hombros rígidos y la barbilla hacia arriba con aire desafiante. Hasta eso le excitaba y de qué manera.

Le gustaban las mujeres sumisas, pero sumisas no quería decir que fueran como un felpudo que se puede pisotear. Le encantaban las mujeres independientes perfectamente capaces de tomar sus propias decisiones. Las sumisas, al menos con las que había estado, lo eran porque así lo habían decidido. Optaban por ofrecerse y ponerse en sus manos; eso era algo muy fuerte.

Quería una mujer fuerte. Alguien que no le necesitara a él ni a lo que le ofrecía, pero que lo quisiera. La diferencia principal radicaba en eso. Quería a alguien que no necesitara a nadie, que fuera decidida y no se echara para atrás. Alguien con quien tener un mano a mano y que entendiera también su punto de vista.

¿Y que ganaría ella? Le pondría el mundo a sus pies. No habría nada que no le diese. La mimaría, la adoraría, la amaría.

Ardía en deseos de hacer eso por Kylie. Lo ansiaba desde que la viera por vez primera en aquella cena con Dash. Entonces reparó en las sombras bajo sus ojos; vio el tormento que le escondía al mundo y le entraron ganas de ser el bálsamo para el dolor que había padecido y que aún padecía hoy.

Pero eso requeriría una paciencia infinita por su parte. La paciencia nunca había sido una de sus cualidades, pero para la mujer adecuada podía ser más paciente que el santo Job.

Ella recogió los papeles y empezó a leerlos con avidez. Veía como su mente trabajaba a destajo para absorberlo todo. Sabía que era una mujer inteligente con mucha vista para los negocios. Igual que sabía que estaba desaprovechada en su puesto de trabajo actual. Aunque no funcionaran las cosas entre ambos de la forma que él pensaba, seguía siendo un activo muy valioso para la empresa como socia. Eso si no la ahuyentaba antes.

—Si no hay nada más —dijo con aire ausente, aún absorta en los papeles—, volveré a mi despacho y empezaré a repasar todo esto. Tendré las ideas listas para la cena del miércoles.

Él volvió a sonreír y contempló sus bellas facciones. Por un momento, las sombras que parecían instaladas en su mirada se disiparon y un destello de determinación le iluminó los ojos. Notaba que estaba emocionada y que tenía ganas de abordar el proyecto. Quería demostrarse a sí misma que era capaz. De momento, estaba llevando muy bien el reto y estaba deseoso de ver los resultados.

Sabía que no le decepcionaría y que era mucho más inteligente de lo que creían Carson o Dash. Ninguno de los dos la había menospreciado nunca ni habían desconfiado de su capacidad, pero habían estado demasiado implicados emocionalmente y su instinto había sido protegerla. Lo entendía e incluso estaba de acuerdo hasta cierto punto.

Pero no le habían hecho ningún favor al protegerla con tanto empeño. Necesitaba desafíos. Necesitaba una salida para su inteligencia y su mente analítica. Hasta un mono podría hacer su trabajo: coger el teléfono, acordar citas, redactar contratos para su posterior firma y llevar la oficina.

Él le ofrecía muchísimo más.

Igualdad.

¿Cuándo se había sentido igual que otra persona en la vida? Vivía como una víctima. Con motivo, sí, pero era hora de sobreponerse y convertirse en una superviviente. Una superviviente que superara su pasado y le diera una buena paliza a su presente.

Y si conseguía formar parte de eso, entablaran o no una relación, estaría tremendamente orgulloso.

Tres

*N*o podía creer que le siguiera la corriente en esta locura. Kylie se detuvo frente al Capitol Grill y el aparcacoches abrió la puerta para ayudarla a salir. Después de recoger el resguardo, entró al oscuro interior.

El restaurante decía a gritos «ricachones viejos y aburridos» por doquier, o, al menos, estaba claro que esa era la clientela a quien estaba orientado. Los muebles eran muy masculinos y había retratos de ancianos colgados de las paredes. De repente fue consciente de sí misma y se miró, preguntándose si iba bien vestida para el lugar. Las demás mujeres que aguardaban en la entrada llevaban vestidos de cóctel, joyas caras y el pelo recogido.

Kylie llevaba la melena suelta. Era eso o una coleta, y no era tan torpe para ir con coleta a un restaurante como ese. Sin embargo, se había puesto un vestido sencillo de color negro, sin brillos ni adornos. Le caía hasta las rodillas y era ligeramente vaporoso, de modo que al menos podía andar, a diferencia de aquellos tipo guante con los que había que andar a pasitos o correr el riesgo de caerse de bruces.

Los zapatos eran planos, pero sí tenían algo de brillo. Los brillantes eran su debilidad. ¿Y algo con tacón? No. Acabaría dando pena al intentar caminar con ellos. Pero de sandalias y zapatitos planos tenía armarios enteros. Cada día llevaba unos distintos para ir a trabajar. Su otra debilidad, gracias a Joss, era llevar pintadas las uñas de los pies. Un color diferente cada semana, aunque su preferido era el fucsia. Tener las uñas de los pies de ese color se le antojaba atrevido... y ese era el único atrevimiento que se permitía.

El resto de su ropa estaba cuidadosamente estudiado para no llamar la atención. Sobre todo la masculina.

Jensen apareció de la nada, o esa fue su impresión, como si se hubiera materializado entre las sombras y se le hubiera plantado enfrente. Ella tragó saliva —de repente se notó la boca seca— porque mientras su vestimenta en el trabajo era una camisa abotonada hasta arriba, pantalones y sin corbata, hoy iba con un traje negro que gritaba riqueza y privilegios, y su ropa oscura solo realzaba lo que ya sabía. No era un hombre con el que se pudiera jugar. La aplastaría como a un insecto sin ningún esfuerzo.

Pero entonces sonrió, transformando esas duras líneas de expresión, ese rostro de belleza casi cruel, en alguien de aspecto más accesible. Alguien que no se la comería viva... tal vez.

Se sentía idiota por pensar algo así y por bajar la guardia al ver esa sonrisa en sus labios. Tenía que recordar que era un depredador nato: fuerte, implacable y perfectamente capaz de hacerle daño.

—Me alegro de que estés aquí —dijo él al tiempo que le acariciaba el codo y la acompañaba hacia el interior oscuro.

Pasaron junto a grandes mesas con hombres de negocios y otros con trajes más formales. Había parejas de cena íntima y camareros que pululaban con botellas de vino caro para ir rellenando las copas. Este era el mundo de Carson, un mundo que había creado para sí, pero que nunca había sido para ella, por mucho que él quisiera compartirlo.

Siempre quiso estar por encima de las circunstancias de su infancia e ir en la dirección opuesta. ¿Y Kylie? Parecía estar empecinada en no cambiar y lo sabía por mucho que se lo negara.

Nunca había pisado del todo el presente, ni siquiera intentaba dejarse llevar por él. Seguía anclada en la pesadilla de su pasado, paralizada e incapaz de seguir adelante.

Que Jensen la hubiera analizado tan bien en su despacho

hacía dos días aún la incomodaba con esa mirada escrutadora y esos ojos que veían demasiado.

Su compañero le retiró la silla y la acomodó hacia delante en cuanto estuvo sentada; luego fue hacia la suya, que estaba enfrente. Al menos, no había ido a por la que estaba al lado. Lo malo era que ahora tendría que mirarle a los ojos y fijarse en esa intensa mirada.

Miró alrededor rápidamente y se dio cuenta, muy a su pesar, de lo íntima que parecía la estampa. Un rincón acogedor en un restaurante de iluminación tenue; nadie ocupaba las mesas más cercanas. Como le había prometido, era un sitio donde no les oirían. ¿Lo había dispuesto todo para que no sentaran a nadie cerca o habían tenido suerte sin más?

Pero no, él no era de los que tienen suerte. No era de los que dejaban las cosas al azar. Lo habría preparado igual que lo preparaba todo en la vida: a su gusto y según sus especificaciones. Sintió un escalofrío en la espalda al notar la fuerza que emanaba de él. Eso, y él mismo, le ponía la piel de gallina.

Sí, esto iba a ser una cena de negocios y al mentalizarse había sido capaz de seguir adelante, pero ahora, sentada frente a él en ese contexto tan íntimo, reparó en que esto podrían haberlo hecho en el despacho perfectamente.

Detestaba que la pusiera tan nerviosa. No le gustaba reconocer esa debilidad. Se había pasado la vida siendo débil, aunque lo disimulaba siendo áspera y desagradable. No se enorgullecía de eso, pero lo prefería a demostrar vulnerabilidad delante de alguien.

—Relájate, Kylie —dijo Jensen, que atrajo su mirada.

Ella reparó en la calidez de sus ojos y se quedó extrañada. Jensen no era un cabrón despiadado y sin corazón, pero sí había perfeccionado esa apariencia. Cualquiera se lo pensaba dos veces antes de cabrearle. Sus ojos solían ser impenetrables y no demostraban ninguna emoción, si es que sentía alguna.

Pero ¿ahora? Su mirada denotaba una extraña ternura

que parecía dirigida a ella. Un arrebato de compasión que la sacaba de quicio porque lo único que quería de él era que le tuviera pena.

—¿Acabas de fruncirme el ceño? —preguntó Jensen esbozando una sonrisa.

—No. Sí. Puede —murmuró.

—Relájate —repitió en un tono tan suave como la mirada que le había lanzado unos instantes antes—. No voy a morderte. A menos que me lo pidas. Bien pedido —añadió con una sonrisa de oreja a oreja.

Ella frunció el ceño aún más antes de darse cuenta de que solo lo hacía para chincharla. Algo que hacía con más frecuencia desde que empezara a trabajar con Dash.

—Tal vez sea yo quien muerda —dijo con una sonrisa sardónica sin darse cuenta siquiera de la connotación sexual hasta que fue demasiado tarde. Se había imaginado a sí misma apretando los dientes como un perro rabioso, no mordiéndole… sexualmente.

Pero obviamente fue así como se lo tomó él porque, de repente, sus ojos empezaron a arder con tal intensidad que volvió a notar un escalofrío. Sí, este hombre era peligroso. Demasiado peligroso para que mordiera el anzuelo. Era mejor ignorarlo y hablar de trabajo únicamente, que era para lo que estaban en este restaurante para empezar.

Por suerte, él no respondió a ese comentario tan desafortunado, pero esa mirada seguía en sus ojos. Era una mirada brillante, radiante, como si se la estuviera imaginando mordiéndole y disfrutando del momento.

Bueno, sería mejor que dejara de pensar en eso y llevara la conversación al tema que les ocupaba.

—Entonces ya has leído mi análisis —dijo ella en un tono serio, algo tenso, al grano—. ¿Qué te parece?

Él se quedó callado un rato y evidentemente decidió que se saliera con la suya. Una vez más, algo que ella sabía que era rarísimo en él. Parecía ser un obseso del control. ¿Acaso tenía un imán? Tate, el marido de su mejor amiga, era muy controlador. Chessy le había cedido todo el control en la relación. Pero Dash... Sacudió la cabeza. Hacía poco había salido a la luz —o al menos era cuando ella se había enterado— que era tan dominante como Tate, y lo más alucinante era que Joss lo había querido así.

Al parecer, su táctica en la vida de esconder la cabeza había propiciado que no se enterara de muchas cosas, y a ella ya le estaba bien así, ¿no?

Muchas cosas estaban cambiando a su alrededor, en su pequeño círculo de amigos. Dash y Joss se habían casado. Eran felices. Jensen había entrado en la empresa y había sustituido a Carson. Solo Kylie permanecía igual. La Kylie predecible, aburrida y asustada hasta de su sombra.

Hizo una mueca de disgusto y Jensen arqueó las cejas.

—¿Crees que no me ha gustado?

Ella negó con la cabeza.

—Perdona. Estaba pensando en otra cosa.

—¿Me lo cuentas? No parecía que fuera algo muy agradable.

—Solo pensaba en lo cobarde que soy y que vivo mi vida con la cabeza agachada.

Esa confesión la asombró hasta a ella. No podía creer que lo hubiera soltado así como así. No solía hacer estas cosas. La pasmaba que acabara de divulgar sus puntos débiles frente a un completo desconocido. Bueno, tal vez no fuera un completo desconocido, pero no era alguien en quien creyera que confiaría nunca. Y no podía achacárselo al alcohol, ya que no estaban bebiendo vino ni nada.

—Eres demasiado dura contigo misma, Kylie —dijo él con delicadeza.

Ella sacudió la cabeza e hizo un ademán para quitarle importancia.

—Por favor, olvida que te lo he dicho. No me creo que te lo haya contado. Deberíamos estar hablando de negocios. ¿Qué te ha parecido mi análisis?

Él le lanzó una de esas miradas escrutadoras como diciéndole que veía más allá de su exterior espinado, hasta su corazón; corazón tímido y acobardado. No quería volver a ver a esa personita nunca más. Solo Carson la había visto así. Él y su padre.

Tuvo que reprimir un escalofrío al pensar en lo que ese monstruo le evocaba. Tuvo que esforzarse muchísimo por permanecer ahí sentada, a la espera, tranquila y serena, mientras en su interior hervía un cúmulo desordenado de sentimientos.

—Es muy completo —dijo él—. Y muy preciso también. Reconozco, sobre todo al decirme que no te veías con el valor suficiente para este tipo de cosas, que pensé que no serías lo bastante objetiva para ir al quid de la cuestión en cuanto a recortar puestos de trabajo.

Ella se ruborizó por el halago. Le temblaban las manos y se las puso en el regazo para que él no se diera cuenta de lo que le provocaba. Como si necesitara o quisiera su aprobación…

Se encogió de hombros para darle la impresión de que sus palabras no le hacían ningún efecto.

—Investigué las áreas en las que se podían reducir costes y, sinceramente, hay muchas cosas innecesarias. Podrían reducir los beneficios adicionales de los empleados, las cosas que no importan, para no tener que recortar en prestaciones, que sí son necesarias.

Él asintió; estaba de acuerdo.

—Yo también he observado gastos innecesarios y si nos centramos en esas áreas evitaremos tener que recortar puestos de trabajo, aunque algunos podrían integrarse en otros trabajos.

Ella se lo quedó mirando un momento.

—No te gusta eliminar puestos de trabajo. Es decir, para ti no son solo personas sin rostro y sin nombre, ¿verdad?

No estaba segura de qué le había dado la pista sobre ese rasgo de su personalidad. Debía de ser algo que había captado en el tono de su voz y en el breve destello que observó en sus ojos. Tal vez era mucho más humano de lo que creía.

—Pues claro que no —murmuró—. No soy un gilipollas sin sentimientos, Kylie. Esas personas tienen familias que mantener, hijos que alimentar y universidades que pagar. Necesitan un trabajo, por muy innecesarios que estos puestos puedan ser para la supervivencia de la empresa.

Notó una punzada de culpabilidad en el pecho e hizo una mueca. Unos minutos antes le había acusado de eso mismo. Él era de algún modo antagónico y al principio no sabía por qué. Su primera reunión la había pillado desprevenida y no fue hasta más tarde que entendió su propia reacción.

La asustaba. No de un modo físico sino en femenino, como mujer. La aterraba. Le despertaba sus más ocultos instintos de supervivencia, que conocía bastante bien. Odiaba esa sensación; se había jurado que nadie —ningún hombre— la haría sentir vulnerable nunca más.

—Si de algún modo he insinuado que no tenías corazón, discúlpame —le dijo en voz baja, con la esperanza de que creyera en su sinceridad.

Apartó las manos del regazo y las apoyó en la mesa; Jensen le cogió una. La dejó boquiabierta la velocidad con que lo hizo; tanto que no tuvo tiempo de apartarla. Fue casi como si previera su reacción.

—No creo que hayas insinuado nada. No me he ofendido, tranquila.

Ella se quedó callada; la mano de él seguía sobre la suya. No obstante, no se la apretó. No podría considerarse que se estaban dando la mano, si bien la suya se la cubría completamente, cálida y envolvente. Por suerte, no tenía la mano boca arriba, así que no se daría cuenta de lo rápido que le latía el pulso en la muñeca.

Deseosa por mantener la conversación dentro del tema laboral, apartó la mano tranquilamente y fue a por el vaso de agua como si solo quisiera darle un trago y no librarse de él. El destello divertido de sus ojos le indicó que no se lo había creído ni por un segundo. ¿Es que no se le escapaba nada?

Como si le leyera el pensamiento, o tal vez porque su desespero resultaba evidente, él se recostó en la silla y prosiguió con la conversación.

La estudiaba con atención, mirándola de un modo más profesional que antes. Con esta dinámica estaba más cómoda. Eran jefe y empleada, no un hombre y una mujer que compartían una cena íntima o, peor aún, ¡una cita! ¡Esperaba que no contara como una cita!

—He incorporado muchas de tus ideas en mi propuesta final, ya que coinciden con las mías. Traeré el análisis completo para que lo repases mientras vamos a la reunión mañana.

Casi se había olvidado de que ya habían pedido y que estaban en una cena cuando llegó el camarero con los entrantes.

Se quedaron en silencio cuando les puso el plato delante, les llenó las copas y dejó la botella en la mesa por petición de Jensen. Entonces el camarero se fue y los dejó a solas una vez más.

Ella miró el filete y la cigala que había pedido. Tenían una pinta increíble y estaban muy bien cocinados. A pesar de todo, estaba desconcertada por Jensen. Era por él. Había tratado con otros hombres, claro. No había rechazado todo contacto con ellos de adulta, pero ninguno le había hecho sentir tan vulnerable como Jensen. Y él era de la clase de tíos despiadados que no dudarían en explotar sus puntos débiles, aprovecharse y luego ir de vengador justiciero.

Mentalmente puso los ojos en blanco. «Joder, Kylie. Qué dramática eres, ¿no? No seas imbécil. Te sientes halagada al imaginar que tiene interés en ti. Solo le gusta cabrearte y eres un blanco fácil. Acábate la cena y deja de fingir que esto es una cita y no un asunto de negocios, lo que es en realidad, antes de que se te vaya la cabeza».

Después de reprenderse —algo que parecía hacer con más frecuencia después de conocer a Jensen—, le hincó el diente a esa comida que tan bien olía. El sabor fue como una explosión en sus papilas gustativas y murmuró de placer sin darse cuenta de que lo hacía en voz alta.

—¿Está bueno? —preguntó Jensen.

Ella levantó la vista y lo vio mirándole la boca. Seguía

el movimiento de su mandíbula al masticar. Le brillaban los ojos cual depredador y durante un momento no pudo tragar siquiera.

Al final, se obligó a tragar ayudándose del vino que tampoco pudo paladear, y asintió.

—Está riquísimo —dijo en una voz ronca que no reconoció.

Reaccionaba como si estuvieran en una cita, algo incómoda por la repentina falta de conversación.

—Me alegro de que cuente con tu aprobación —prosiguió él—. Es uno de mis restaurantes preferidos.

Entonces sí puso los ojos en blanco.

—No sé por qué, no me sorprende.

Él arqueó una ceja.

—¿Por qué lo dices?

Kylie se encogió de hombros.

—Es muy tú. Muy… masculino. La gente es de tu estilo.

Él la miró con aire arrogante.

—¿Y qué clase de gente es?

—Poderosa —contestó tras un breve momento de reflexión—. Adinerada. Al entrar he pensado: «Esto está orientado a ricachones viejos y aburridos».

Él se echó a reír y la sorprendió el sonido potente y vibrante de su risa, casi gutural. Nunca hubiera imaginado que la risa fuera tan hermosa. Para ella, era algo casi desconocido. Pero viniendo de un hombre que apenas sonreía, era casi mágico. Quería volver a oírla y saborear el sonido por el breve instante de placer que le hacía sentir.

—¿Me tienes por un ricachón viejo y aburrido?

Ella sonrió enseñándole los dientes; esperaba no tener ningún trozo de comida entre los dientes. Eso sería muy embarazoso.

—Viejo, no.

—Entonces, ricachón aburrido. Vaya, me siento mejor —repuso con sequedad.

—Tienes que reconocer que todo en este restaurante está enfocado a una clientela con influencias y poder adquisitivo elevado. —Señaló las paredes—. ¿Cuántos restaurantes conoces que cuelguen retratos de viejos que parecen jueces, políticos, banqueros o empresarios forrados de dinero?

—No tengo ni idea de los gustos del propietario o a quién está orientado el negocio. Lo único que sé es que el bistec está de narices y el servicio es impecable. A mí ya me está bien.

—Eres muy de comodidades, ¿no? Buena comida y que te sirvan.

No se lo dijo a modo de insulto y esperaba que no se lo tomara como tal. Solo era una observación en voz alta, aunque tal vez tendría que haberse contenido. No quería alentar nada que no fuera una relación estrictamente profesional. Tenía amigos —buenos amigos— y tampoco quería engrosar ese grupo pequeño e íntimo, aunque tal vez no tuviera más remedio ya que, seguramente, Jensen acudiría a las quedadas con sus amigos.

Él se encogió de hombros.

—¿Y a quién no? La vida es breve y me gusta disfrutar de sus placeres, hasta los más pequeños.

Ella contuvo la respiración y notó una punzada de dolor en el pecho. En eso tenía razón. ¿Por qué no podía ser tan simple como él? Ella, más que nadie, sabía que tenía que seguir adelante, dejar de vivir en el pasado y aferrarse a lo bueno de la vida. Tenía que dejar ya lo malo. Al fin y al cabo, era agua pasada, ¿no? Ya lo había dejado atrás y, a pesar de todo, seguía ahí atorada como un camión en el barro, hundida hasta los parachoques. Seguía dejando que el pasado y sus miedos dominaran su presente.

Débil. Era débil y estaba harta de sentirse así. Hacerse la fuerte no la hacía fuerte, solo la convertía en una cabrona amargada y borde, y no se sentía orgullosa. Por suerte, sus amigos —la gente que la quería— la aceptaban aun con sus fallos. No contemplaba la vida sin ellos, sin su apoyo y amor incondicionales.

A punto había estado de meter la pata con Joss. Le había dicho cosas imperdonables a su cuñada, cosas que le habían hecho daño y con las que ella se había crecido. Pero Joss era... Bueno, era Joss. Cariñosa y todo corazón, incapaz de guardar rencor ni reprochar nada. Ojalá se pareciera más a ella.

—Es una filosofía muy buena —dijo ella, que podía reconocerla aunque no la practicara. Sin embargo, estaba dispuesta a conseguirlo. Un día. Esperaba que pronto.

Él asintió y, como esperaba que dijera, añadió:

—Deberías aplicártela.

—Estábamos hablando de ti, no de mí —dijo Kylie en un intento de desviar la conversación sobre ella. Siempre quería evitar que se hablara de ella. Cualquier cosa que fuera más allá de un cumplido o comentario amable estaba prohibida. Y ya le había dejado ver más de lo que permitía a nadie.

—¿Te apetece tomar postre?

Ella parpadeó, incrédula, ante su brusquedad y el hecho de que hubiera aceptado al momento su intento de desviar la atención. Se ve que el hombre también cedía de vez en cuando. ¿Quién lo hubiera dicho?

Entonces miró el plato a medio comer y sonrió con cierto arrepentimiento.

—No. Creo que me terminaré lo que queda de bistec y marisco. Está delicioso y no creo que tenga más apetito después. Además, no deberíamos alargarnos mucho. Mañana nos toca madrugar.

Se esforzó por conseguir un tono despreocupado para que no pareciera que tuviera prisa y quisiera despacharlo. Sin embargo, una vez más, el brillo de sus ojos dejaba entrever que veía mucho más de lo que creía, y la incomodaba. Empezaba a pensar que era un lector de mentes profesional con una percepción extrasensorial.

—Termínatelo, pues, pero tómate tu tiempo. Mañana no empezamos antes de lo habitual tampoco. Además, sé muy bien a qué hora entras a trabajar y no es a las ocho.

Pues claro que lo sabía. No tenía que fichar. Le pagaban bien y Dash siempre había sido muy flexible con su horario, si bien ella nunca se había aprovechado. No fue difícil sumirse en el trabajo cuando Carson murió. Eso la mantenía ocupada; era como una válvula de escape. En el trabajo podía evadirse de la pena y la desolación. En casa no tenía distracción alguna —se sentía tremendamente sola—, así que todas las mañanas llegaba al despacho entre las seis y media y las siete. Normalmente antes de que apareciera Dash.

No obstante, al incorporarse Jensen y para su fastidio, este llegaba antes y ya estaba en su despacho cuando ella entraba al suyo.

Estaba a punto de terminarse el delicioso plato cuando le dio por levantar la vista y vio a un hombre que cruzaba desde el extremo derecho del salón hasta una mesa en la parte trasera, no muy lejos de la de Jensen y ella.

Se quedó paralizada al instante; la comida que acababa de tragar se le antojaba pesada como el plomo en el estómago. Notó el sabor de la bilis en la garganta y le temblaba tanto la mano que se le cayó el tenedor. El fuerte ruido metálico les sobresaltó en el silencio reinante.

Sabía que se había quedado blanca. Se había quedado completamente inmóvil y no podía ni respirar. No conseguía que el aire le llegara a los pulmones. Notaba una presión en el pecho cada vez más fuerte y luego un nudo en la garganta hasta que supo que estaba en pleno ataque de ansiedad.

El sudor le perlaba la frente y el labio superior. Las ganas de escapar y de salir corriendo del restaurante tan deprisa como le permitieran las piernas se apoderaron de ella. Pero las piernas no le obedecían. Si no podía respirar, aún menos lograría escapar de ahí.

Jensen apareció a su lado, arrodillado junto a la silla. Le acercó la barbilla para obligarla a mirarle y desviar su atención del hombre que ahora estaba sentado, a solas, unas mesas más allá.

—¿Qué pasa? —preguntó él con cierta brusquedad—. Joder, Kylie, respira. Acabarás desmayándote si no empiezas a respirar ya.

Ella trató de obedecer esa orden tan tajante aunque la humillaba que estuviera presenciando cómo se desmoronaba allí mismo. Tenía los pulmones helados y sentía tal opresión en el pecho que creía que no podría respirar.

En ese momento, apareció un camarero con cara de pánico que se ofreció a ayudarla y le preguntó si necesitaba algo. Jensen se dio la vuelta; su rostro era como un cielo cubierto de nubarrones.

—Déjenos —le ladró—. Se pondrá bien.

¿En serio? No se encontraba nada bien. Creía que no se recuperaría nunca. La invadió un sentimiento de desesperación y el salón empezó a volverse borroso. Sabía que estaba a punto de desmayarse.

—Tengo que irme —dijo con un hilo de voz, algo ronca—. Tengo que irme. Ya —dijo, esta vez con más énfasis.

Le costaba articular palabra con la presión de los pulmones y el nudo en la garganta que le volvía la voz áspera y gutural.

Jensen miró rápidamente alrededor de la sala, fijándose en el lugar dónde ella miraba cuando le entró el ataque de pánico. En su rostro se reflejaba la vergüenza; cada vez le resultaba más humillante.

—¿Quién es? —preguntó Jensen en un tono amenazador—. ¿Qué te hizo?

La violencia apenas contenida en su voz la hizo estremecer. Empezó a ver puntitos negros e intentó inspirar hondo de nuevo para aliviar ese terrible dolor que se notaba en el pecho.

—Nadie —graznó ella—. Solo se parecía a… —Se le fue apagando la voz y, para su horror, empezaron a resbalarle las lágrimas por las mejillas—. Me ha recordado a alguien. Por favor, ¿podemos irnos ya?

—Y una mierda voy a dejar que te vayas sola a casa en este estado.

Se incorporó, dejó unos cuantos billetes sobre la mesa, la ayudó a levantarse de la silla y se la llevó en dirección a la puerta sin detenerse siquiera hasta que salieron y notó el aire fresco cual bálsamo reparador.

Parte de la opresión que sentía se esfumó entonces. El miedo terrible empezó a disiparse, pero dejó a su paso un fuerte sentimiento de vergüenza.

—Respira —le ordenó Jensen casi al mismo tiempo en que le pedía al mozo que fuera a por su coche.

Inspiró hondo una y otra vez, dando grandes bocanadas de aire hasta que desapareció la presión y dejó de ver puntitos. El mundo había dejado de dar esas vueltas mareantes, pero cuando quiso zafarse del abrazo de Jensen, le fallaron las rodillas. Con una palabrota en voz baja, él volvió a levantarla y le aferró la cintura con el brazo para que no pudiera moverse.

Su calidez le traspasaba la piel helada y conseguía permear la capa ártica que parecía envolverla.

—Mi... mi coche —tartamudeó—. No puedo dejar el coche aquí.

—Que le den al coche —dijo de malas maneras—. No vas a conducir ahora. Ya te llevo yo a casa. Mañana, después de la reunión, vendremos a buscarlo.

Cuatro

El trayecto a casa de Kylie fue tenso y en silencio. Jensen se ponía a imprecar cada vez que la miraba de soslayo y veía su rostro pálido y su mirada torturada. Ella iba callada y rígida en el asiento, con las manos entrelazadas con fuerza en el regazo. Tenía la mirada fija al frente, como si estuviera en trance y como si ni siquiera supiera que él estaba allí.

Le había dado un susto de muerte en el restaurante. El miedo dio paso rápidamente a la rabia cuando se dio cuenta de que el hombre que estaba sentado a algunas mesas de distancia la había aterrorizado. Le entraron ganas de ir a darle una paliza, pero luego ella le dijo que solo le recordaba a alguien. Como el hombre era mayor, se imaginaba en quién le había hecho pensar y volvió a soltar un improperio.

Su instinto fue llevarla a casa. A su casa, donde sabía que podría protegerla de todo lo que pudiera hacerle daño, pero ella no se lo permitiría. Seguramente le entraría otro ataque de pánico y con uno ya había tenido suficiente la pobre.

Así pues, la llevaría a su propia casa, pero no tenía la intención de dejarla sola en ese estado. No le querría ahí, seguro, pero tendría que aguantarse. No iba a permitir que pasara sola por ese suplicio.

Kylie necesitaba a alguien, aunque nunca lo reconocería. Lo veía como una debilidad y era una mujer que prefería morir antes que permitir que los demás vieran lo que ella percibía como debilidades. Joder, ¿es que no se daba cuenta de que todo el mundo necesitaba a alguien en algún momento de su vida?

Y él quería ser esa persona que necesitara aunque sabía que no era el mejor para ella. No era el hombre que ella quería, eso era evidente, pero sí lo necesitaba. Eso lo sabía tan bien como todo lo demás. Era una certeza inquebrantable.

Tenía que derribar sus muros y quitarle capa a capa sus defensas hasta descubrir a esa mujer frágil y vulnerable que se escondía tras esa fachada de acero.

No sería fácil; no era tan tonto como para pensar algo así. Nada bueno o que valga la pena se consigue fácilmente. Y en su fuero interno sabía que, aunque fuese una locura, ella valía la pena.

Tenía que andarse con cuidado y contemplar hacer algo que nunca había estado dispuesto a hacer antes, sobre todo por una mujer. Soltar ese control al que tanto se aferraba y cedérselo —o, al menos, lo más parecido al control— a ella.

Era una experiencia nueva y no estaba del todo seguro de que le gustara. Sería difícil para un hombre como él, acostumbrado a controlar hasta el último aspecto de su vida. Sin embargo, Kylie necesitaba seguridad. Necesitaba... confianza. Necesitaba ser capaz de confiar en él y si iba a ganarse su confianza, tendría que ceder, porque ella no lo haría. Se resistiría hasta que finalmente estallara y ya estaba llegando a ese punto con cada día y cada noche en vela que pasaba. Porque no creía que estuviera durmiendo nada últimamente.

Se apostaría lo que fuera a que su pasado se filtraba en sus sueños cada noche. Había visto la prueba demasiadas veces: las sombras en su mirada y bajo sus ojos. La fatiga que se adueñaba de ella, incesantemente, y que se notaba en cada respiración.

Hoy dormiría y lo haría sabiendo que estaba a salvo, porque de ninguna manera iba a dejarla de esa manera. Ni de coña.

Por eso, se preparó para la confrontación, a sabiendas de que pondría reparos a su presencia en su casa, en su espacio. Tal vez el único lugar donde se sentía segura. Pero no, eso tampoco era verdad, porque mientras dormía, incluso en su santuario, seguían torturándola los sueños.

Esta noche no. No si él podía evitarlo.

Cuando llegaron a la entrada del edificio, salió antes de que ella pudiera decir nada y le abrió la puerta del coche, sin esperar siquiera a que aceptara su mano extendida. Simplemente se acercó, tomó sus dedos helados y la sacó del coche.

Como andaba tambaleándose, hizo como al salir del restaurante y se la acercó para cobijarla bajo sus hombros mientras se dirigían hacia la puerta.

Sabía que ella querría deshacerse de él en cuanto llegaran a la puerta. Le espetaría un «buenas noches» cortés y educado e incluso un «gracias» a regañadientes por haberla ayudado, pero luego se sumiría en su invierno, cerraría la puerta y le prohibiría la entrada en sus dominios.

Y una mierda.

Le arrancó las llaves de la mano y abrió la puerta al tiempo que la empujaba hacia dentro, asegurándose de que no se alejara ni un ápice. Una vez dentro, cerró la puerta y echó la llave.

—Jensen —protestó—. Estoy bien. Gracias, pero estoy bien. Ha sido una tontería y la mar de vergonzoso, pero ahora prefiero estar sola. Mañana nos vemos.

—Me verás ahora mismo —le dijo con aire serio.

Mientras hablaba, se la llevaba a lo que suponía que era su dormitorio. Como ya sospechaba, su casa era el vivo retrato de la tranquilidad. Su refugio. No había nada fuera de lugar. Era un verdadero remanso de calma y paz.

Kylie se resistió al llegar al dormitorio; se dio la vuelta y le lanzó una mirada salvaje.

—Puedes irte ya, Jensen. —En sus ojos ya no quedaba rastro de su ataque de pánico anterior.

No obstante, a juzgar por la forma en que apretaba los labios, por las arrugas de la frente y la palidez de su rostro, sabía que seguía igual.

No estaba bien y no pensaba marcharse.

—Ponte el pijama mientras preparo algo de beber. ¿Tienes el mueble bar bien provisto? Creo que esto se merece algo fuerte.

Ella palideció aún más y luego negó con la cabeza.

—Solo vino, y casi nunca bebo. Solamente bebo cuando salgo con Chessy y Joss o si voy a su casa.

—Pues vino se ha dicho. Necesitas algo que te relaje. Tienes cinco minutos para cambiarte si no quieres que te pille desvistiéndote.

Tras esa orden, salió del dormitorio y cerró la puerta para darle más intimidad. Esperó más de cinco minutos porque suponía que, seguramente, se pasaría un rato peleándose consigo misma y pensando en mil y una maneras de decirle que se largara.

Él se encogió de hombros. Le habían dicho cosas peores y ya había descubierto que perro ladrador, poco mordedor. Bajo ese exterior tan duro había un corazón tierno y un alma más tierna aún.

Sirvió dos copas, aunque a él no le apetecía mucho la suya. Estaba demasiado ocupado pensando en Kylie y en el episodio que acababa de presenciar en el restaurante. Lo quisiera ella o no, tendría que explicarle exactamente qué había motivado ese ataque de pánico. Se hacía una idea, pero quería oírlo de sus labios. Quería que confiara en él lo suficiente para que se abriera y tal vez le contara lo que nunca le decía a nadie.

Era una esperanza poco realista, pero eso no evitaba que la tuviera.

Cuando volvió a entrar en el dormitorio, se la encontró sentada en la cama, lívida, aún alterada y con un pijama de manga larga de lo más modesto que escondía hasta el último centímetro de esa piel tan apetecible.

Fue en ese momento en el que ella aún no se había percatado de su presencia cuando vio a través de la fachada que construía para el resto del mundo.

Parecía muchísimo más frágil y muy vulnerable. Parecía... sola. La soledad la envolvía como un manto de niebla y la rodeaba de tal pesadez que le desgarraba el corazón de verla. Entonces levantó la vista y puso los ojos como platos al ver que ya no estaba a solas.

Igual de rápido volvió a levantar las barreras y su rostro se tornó impenetrable, pero él ya había visto más allá. Sabía lo que había debajo.

—Esto no es necesario, en serio —protestó ella cuando le puso la copa de vino en la mano—. Estoy bien, Jensen. Es un detalle por tu parte que me hayas traído a casa, pero me siento ridícula. Me he comportado como una tonta y ahora me muero de vergüenza.

Él hizo caso omiso de sus protestas y se sentó en la cama a su lado; sus muslos casi se rozaban.

—¿A quién te ha recordado ese tipo, Kylie? —le preguntó con dulzura.

Ella palideció al momento y apartó la mirada. Tomó un buen sorbo de vino, que tragó como si necesitara el valor que el alcohol le infundiría para reflexionar sobre lo que acababa de ocurrir.

—A mi padre —respondió de sopetón.

Inmediatamente cerró los ojos, con el pesar marcado en la frente. Sacudió la cabeza, perpleja, como si se preguntara por qué se lo había confesado.

—¿Aún está vivo? —preguntó.

Ella asintió.

—¿Y vive aquí? ¿Lo ves a menudo? —instó.

—No lo sé —susurró—. Y no, no lo veo. Ni ganas que tengo. Ojalá estuviera muerto. Ojalá hubiera sido él y no Carson. No es justo.

Le costaba hablar por las lágrimas, que empezaban a resbalar por sus mejillas. Parecía avergonzada, pero él no se movió ni reaccionó siquiera. No quería llamar más la atención sobre la emoción que ella trataba de ocultarle. Quería que continuara, que le hablara de esos demonios que la acosaban. Quería entender la magnitud de su dolor y su miedo para saber cómo ayudarla.

—¿Por qué tuvo que morir Carson? —se preguntó entre sollozos—. Era muy bueno. Nunca le hizo daño a nadie. Amaba y adoraba a Joss. Me quería y me protegía a mí. Era el único que me protegía, pero tuvo que morir mientras mi padre sigue con vida. Es injusto —repitió; la rabia se filtraba a través de la pena.

Jensen le cogió la mano con mimo y la acogió en la suya, mucho más grande, mientras le acariciaba los nudillos con el pulgar.

—La vida no es fácil, cariño. Y tienes razón, no es justo que el hijo de puta que te engendró esté vivo y Carson muriera. Pero no todo tiene sentido en esta vida. Tenemos que jugar con la baraja que nos dan.

—Odio no poder seguir adelante —susurró—. Me jode, Jensen. Me jode ser tan débil. ¿Lo entiendes? ¡Lo odio!

Él le apretó la mano para tranquilizarla aunque lo que más deseaba era abrazarla. Nada más. Abrazarla sin más.

—No eres débil —rebatió él—. No pretendo saber todo por lo que has pasado, pero conozco lo suficiente para saber que eres una superviviente. No te dejaste amilanar. Eres más fuerte de lo que crees.

Ella se recostó en él y, ya fuera consciente o no, no se quejó. Probó suerte: le soltó la mano y le pasó un brazo por encima de los hombros, acercándola más. Apoyó la cabeza en su hombro y Jensen notó cómo el cansancio se apoderaba de ella. Necesitaba descansar sin miedo ni recuerdos del pasado.

¿Cuándo fue la última vez que durmió bien de verdad? ¿La última noche con la mente en blanco en la que se entregó en cuerpo y alma a los brazos de Morfeo?

—A veces creo que no he sobrevivido —dijo en una voz tan baja que tuvo que aguzar el oído para oírla—. Y me pregunto si no fue él quien ganó. Antes pensaba que la ganadora era yo, que lo que hizo no me hizo daño, pero no es cierto. Sí que ganó porque incluso ahora que no forma parte de mi vida, de mi presente, sigue ahí, como si lo tuviera delante mismo. Y por mucho que me esfuerce, no puedo deshacerme de él o borrar el recuerdo de lo que hizo.

La besó en la cabeza de melena sedosa, incapaz de resistirse. Notó que se ponía tensa y entonces maldijo entre dientes porque por el descuido que fuera, ese breve instante en el que había podido entregarse a la protección de alguien, acababa de terminar y era plenamente consciente de que estaba en su dormitorio, entre sus brazos, con sus labios en el pelo.

Se apartó sin poder mirarlo a los ojos; sin embargo, notó que tenía vergüenza y eso lo desgarraba por dentro porque no quería que se sintiera así con él. Quería que se sintiera lo suficientemente cómoda como para bajar esas barreras y dejarlo entrar en su corazón.

—Deberías irte ya —le dijo en voz baja y algo tensa—. Ya te he robado bastante tiempo.

—No pienso dejarte sola esta noche —le espetó.

Volvió la cabeza rápidamente, estupefacta, y lo miró a los ojos. La sorpresa era evidente, sí, pero lo que lo mató fue el terror que había en esos enormes ojos. Vio que otro ataque de pánico era inminente y eso era lo último que quería.

—No pue… no puedes que… quedarte aquí —tartamudeó.

—Claro que puedo —repuso él con calma—. Es lo que haré.

Kylie sacudió la cabeza; el pánico se reflejaba en todo su rostro.

Le puso una mano en el hombro y notó el fuerte temblor que ella se esforzaba por controlar.

—No voy a dejarte, cielo —le dijo con ternura—. Entiendo que estés asustada, pero te juro que no tienes nada que temer conmigo.

Ella abrió la boca y tragó saliva como si no lograra dar con una respuesta.

—No necesito que te quedes —protestó.

Él le puso un dedo en los labios y negó con la cabeza.

—No quieres que me quede —la corrigió—. Pero sí necesitas que me quede. Esa es la diferencia.

—Es que no lo entiendes —dijo con desesperación.

—Shhh, cielo. Entiendo mucho más de lo que te crees. ¿Crees que no sé el miedo que me tienes? ¿Sabes lo mucho que me duele y lo mucho que me gustaría que eso cambiara?

Lo último que quiero es que me tengas miedo. Cueste lo que cueste, Kylie, te demostraré que estás completamente a salvo conmigo. Mucho más que con cualquier otra persona. Nunca te haré daño. Nunca.

Las lágrimas empezaron a asomarse a sus ojos.

—No quiero tenerte miedo.

A él se le derritió el corazón al oírlo. No, no quería tenerle miedo, pero ese sentimiento era irracional. Desafiaba toda explicación y eso que no era por él. Le tendría miedo a cualquier hombre que tuviera tan cerca, en su habitación, durmiendo en su cama. Pero antes de terminar la noche, sabría que no habría nada que él no hiciera para asegurarle que no tenía nada que temer.

—Esta noche dormiré aquí contigo, en tu cama —dijo tranquilamente como si estuvieran hablando de temas banales.

El terror se reflejó en su mirada y se le aceleró la respiración. El pulso le iba a mil; el pánico ya se había apoderado de ella. Veía cómo se esforzaba por respirar e hinchaba las fosas nasales.

—Escúchame, Kylie. Te entiendo mejor de lo que crees. Valoras el control por encima de todo porque te lo arrebataron de pequeña. Quiero devolvértelo esta noche. Me quedaré a dormir contigo para que sepas que estás a salvo. Quiero que descanses. Una noche sin pesadillas o, por lo menos, con alguien que pueda consolarte cuando los sueños te torturen. Y para que tengas el control absoluto y sepas que no tienes nada que temer, me atarás las manos al poste de la cama. De este modo, estaré literalmente indefenso.

Cinco

$\mathcal{K}$ylie lo miraba con incredulidad.

—¡Es una locura!

Más que eso, ¡era una enajenación! ¿Atarlo a la cama? Aparte de ser un hombre a quien nunca había imaginado poniéndose en una situación de vulnerabilidad con nadie, y aún menos con una mujer, la idea de atar a alguien a su cama era un auténtico disparate.

—¿Te haría sentir más cómoda? —le preguntó con dulzura, como si no acabara de proponerle tamaña locura—. Piénsalo, Kylie. Tendrías el control absoluto y nada que temer porque estaría completamente indefenso. No pienso dejarte sola esta noche, así que tus dos opciones son confiar en mí lo suficiente para compartir cama contigo o bien atarme las manos al cabecero.

Volvió la cabeza. Tenía la cabeza hecha un lío. El altruismo que suponía dicho acto era apabullante.

Sin esperar respuesta, se levantó de repente y salió del dormitorio. Tal vez se había dado cuenta de que se le había ido la cabeza y ahora empezaba a entrar en razón. No sabía si se sentía aliviada o decepcionada.

Daba igual lo mucho que se opusiera a la idea o lo mucho que su instinto le decía que este hombre era peligroso para ella; la idea de pasar la noche sola —como tantas otras noches— no le hacía ninguna gracia.

Justo cuando pensaba que había puesto pies en polvorosa, Jensen apareció por la puerta, seguro y confiado como si estuviera en su casa, con unas esposas en la mano.

Unas esposas.

Se le salieron los ojos de las órbitas y se quedó boquiabierta.

—¿Quién leches va por ahí con unas esposas encima a menos que no sea un poli? —preguntó.

Él esbozó una sonrisa.

—Nunca sabes cuándo las vas a necesitar.

Ella entrecerró los ojos.

—¿Te va lo raro? Ya sabes, eso de la dominación que practican Dash y Tate. ¿Eres como ellos?

Él tenía una mirada serena; parecía muy tranquilo.

—Te aseguro que no soy como ellos. Soy yo, Jensen. No necesito ni tengo ganas de moldear mis deseos según los de otra persona ni de imitar a los demás. Lo que hagan Dash y Tate es asunto suyo, entre ellos y sus parejas. Lo que necesito y deseo es cosa mía.

—Quieres que use esas cosas contigo —dijo en un hilo de voz, apenas un susurro.

Él se sentó a su lado y la acarició suavemente desde el hombro hasta el codo. Incluso a través del pijama, Kylie notaba el calor abrasador de su piel.

—Lo que quiero es que te sientas segura conmigo. Así que, sí, eso es exactamente lo que quiero que hagas, que me esposes a tu cama.

¿Contemplar siquiera esa proposición irreverente la convertía en una lunática? En realidad no quería que se fuera. No quería estar sola. Llevaba sola mucho tiempo. Aunque fuera solo por una noche, quería lo que le había prometido: paz, descanso del miedo y de la agonía de las pesadillas. Una fuente de consuelo, algo que le estaba ofreciendo de forma totalmente altruista. ¿Sería tan boba de dejarlo escapar?

—Tal vez solo una mano —murmuró ella—. No quiero que estés incómodo.

A Jensen le brillaron los ojos; la única señal visible de su triunfo. Él se quedó callado y en silencio, casi como si esperara que se lo pensara mejor y se echara atrás. Pero no era una cobarde y se estaba esforzando mucho por dejar de ser tan débil. Era una noche nada más y estaría esposado a la cama. A pesar de eso, no creía que fuera a hacerle daño. Su corazón estaba convencido, pero su mente seguía obcecada con su instinto de supervivencia. En su cabeza, una vocecilla le gritaba que lo echara de allí. Cabeza y corazón estaban en discordia por lo que respectaba a este hombre; algo muy poco habitual porque solían seguir las mismas premisas. «No confíes en nadie», era su mantra. Ahora su corazón le enviaba señales distintas a las de su cabeza y ese rifirrafe era agotador.

—¿Tienes algo que ponerte? —le preguntó, algo incómoda.

—Puedo dormir con lo que llevo puesto.

Kylie frunció el ceño.

—¿Y mañana? Para la reunión, me refiero. Sé lo importante que es y no quiero echártela a perder.

—Me levantaré pronto para ir a casa, ducharme y cambiarme y luego vendré a por ti —dijo como si tal cosa.

—Ah… de acuerdo —convino al final y luego cerró los ojos, preguntándose qué puñetas le pasaba. Tal vez estaba perdiendo la poca cordura que le quedaba.

Jensen se quitó los zapatos, se desabotonó el cuello de la camisa, se quitó el cinturón y lo dejó todo a un lado. Entonces, le hizo un ademán para que se metiera en la cama. Él se fue al otro lado, con cuidado de mantener la distancia entre ambos, y entró en la cama. Luego, mirándola, levantó el brazo izquierdo y le tendió las esposas con la mano derecha, haciéndole un gesto para que le atara la muñeca al cabecero.

Ay, Dios, ¿tenían que llegar a eso? ¿No podía tener a un hombre en la cama sin esposarle para que no fuera una amenaza? Ojalá fuera lo bastante valiente para decirle que no era necesario. Su lado racional le decía que eso era lo que tenía que hacer en lugar de devolverle su generosidad y preocupación con desconfianza. Pero el lado irracional que controlaba la mayor parte de sus actos y pensamientos le decía que sería una locura no garantizar su seguridad.

Con cuidado, le esposó la muñeca a una de las barras del cabecero y luego se recostó mordiéndose el labio inferior.

—No parece muy cómodo —dijo, algo preocupada.

—Sobreviviré —repuso escuetamente—. He dormido en condiciones mucho peores.

—Lo siento —añadió en voz baja.

Él la miró con curiosidad y fue a acariciarle la barbilla con la mano que tenía libre.

—¿Por qué lo sientes, cielo?

Ella cerró los ojos.

—Porque no soy lo bastante valiente para decirte que te quedes a dormir sin las esposas. Porque soy demasiado cobarde para rechazar tu generoso gesto. La egoísta soy yo, Jensen, y me sabe mal no ser tan fuerte como tú.

A él se le suavizó la expresión mientras le acariciaba la barbilla y la mandíbula con el pulgar.

—Ya es algo que me permitas dormir en tu cama, con esposas o sin ellas, y me lo tomo como un detalle igualmente.

Ella se ruborizó al oír la promesa en su voz; la promesa de que volvería, de que habría otra ocasión y de que no era una cosa rara. No, no volvería a ocurrir. No lo permitiría. Había accedido a esta locura en un momento de debilidad —esa debilidad que tanto odiaba— solo porque no quería pasar sola esa noche.

Pero no podía permitir que volviera a pasar.

—¿Listo para que apague la luz? —preguntó.

Él asintió mirándola a los ojos con calidez.

Ella se volvió para apagar la lamparita y luego se acurrucó bajo el edredón, e intentó no centrarse en que Jensen estaba a unos centímetros. Oía su respiración. Notaba su calidez como si la abrazara.

—¿Apagarás también la luz del armario? —preguntó él.

En ese momento, Kylie se alegró de que la penumbra le impidiera ver su rubor.

—No —contestó en voz baja—, la dejo encendida. No

me gusta dormir en una oscuridad absoluta. ¿Te molesta?

—Mientras tú estés cómoda, a mí me da igual —añadió, para descolocarla aún más.

La tenía totalmente desconcertada. Llevaba semanas picándola, molestándola y haciéndola enfadar, y ahora la trataba con dulzura. Como si fuera algo valioso y frágil. Estaba hecha un lío y a pesar de lo que él le había dicho de darle todo el control esa noche, ella no sentía para nada que tuviera el control. Su mente y su corazón estaban hechos un desastre. La cabeza le daba tantas vueltas que le extrañaba poder respirar. No, no tenía el control.

Incluso esposado a la cama, no había dudas de que Jensen controlaba la situación.

Eso tendría que aterrorizarla. Debería echarse a correr en otra dirección, pero algo se lo impedía y no sabía exactamente qué. Esa mirada le prometía algo y quería averiguar qué. Y tal vez, saber también si tenía esperanza de dejar atrás el pasado y adentrarse en el presente.

Jensen se despertó sobresaltado y soltó un taco. Kylie estaba hecha un ovillo al otro lado de la cama. Fuera de su alcance. La oyó gimotear y poco después emitió más ruidos de terror.

Parecía una chiquilla asustada. De hecho, en muchos aspectos seguía siendo la niña asustada y vulnerable que era cuando sufría los abusos de su padre.

Por eso, había insistido en quedarse. Después del ataque de pánico en el restaurante, estaba seguro de que tendría pesadillas, que su pasado estaba al borde de la consciencia, agazapado, a la espera de que se quedara dormida y fuera vulnerable al ataque.

Lo peor era que no podía acercarse; se veía impotente mientras ella luchaba con monstruos invisibles. ¿Por qué diantre había insistido en las esposas, aunque hubiera hecho lo que fuera por hacerla sentir a salvo? Ahora no podía abrazarla ni aliviarla en ese momento de agonía.

—Kylie, cielo, despierta. Estás a salvo. Estás conmigo. Despierta, cielo.

Durante unos instantes estaba demasiado sumida en la pesadilla para responder a su petición. Entonces, se despertó con un grito ahogado y se incorporó; tenía los ojos como platos, enormes en ese rostro tan pequeño. Con la mirada fija, se acercó las rodillas al pecho y empezó a balancearse hacia delante y hacia atrás.

Agachó la cabeza entre las rodillas y la oyó sollozar.

Se le partía el corazón. Se le desgarraba en dos mitades. Tenía el corazón roto como el de ella; su dolor era compartido. Nunca se había sentido tan impotente, tan desesperado al ver que esta mujer tan hermosa como frágil seguía prisionera de su pasado.

—Ven aquí, cielo —le pidió con delicadeza rezando para que no le rechazara.

Para su sorpresa, no se lo discutió. Se dio la vuelta, casi como si se lanzara a sus brazos. Acto seguido volvió a girarse para coger la llave de las esposas de la mesita de noche y empezó a abrirlas no sin cierta torpeza, tirando de ellas hasta que consiguió quitárselas.

Inmediatamente él la abrazó y la atrajo hacia sí. Ella se le aferró como una lapa; el corazón le latía con fuerza. Tenía el rostro empapado de lágrimas y respiraba entrecortadamente mientras se esforzaba por recuperar el control.

—Shhh, cielo. Ya te tengo —le decía para tranquilizarla—. Nada puede hacerte daño ahora. Te lo prometo. Déjalo. No dejes que te controle más.

Le acarició el pelo y la besó en la cabeza, esperando a que se calmara, a que se diera cuenta de que estaba a salvo y que estaba con él. Que nada le haría daño mientras él estuviera cerca.

—Lo siento. Lo siento mucho —repetía ella con unas palabras amortiguadas contra su pecho.

—No, cielo. No te disculpes. No te disculpes nunca por esto.

Le pasó una mano por la espalda, acariciándola hasta que

notó que la tensión acumulada empezaba a desaparecer. Ella se recostó en él y hundió el rostro en su pecho.

Todavía le temblaban los hombros; sabía que seguía llorando y cada lágrima le destrozaba. Se le partía el corazón por todo el dolor que sabía que ella había tenido que sufrir. Por el dolor que seguía sufriendo cada noche.

—Déjame que te abrace —le dijo en voz baja transmitiéndole con esas palabras toda la ternura que sentía por ella—. Vuélvete a dormir. Estás conmigo y nada puede hacerte daño aquí.

Kylie suspiró y se apoyó en él, se cobijó en su cuerpo. Se revolvía y contoneaba como si intentara acercarse el máximo a él.

Por un momento pensó que le había hecho caso y que estaba dormida, pero entonces se puso rígida de repente. Le notaba el pulso muy marcado en el pecho. Estaba tensa como si estuviera armándose de valor para decirle algo.

De forma instintiva la abrazó; era su manera de animarla a hacerlo.

—Odio esto —dijo con voz quebrada. Algo que había dicho muchas veces refiriéndose a sus debilidades, como ella las consideraba.

Él le acarició el brazo del hombro a la muñeca antes de entrelazar los dedos con los suyos y apretárselos para que notara todo su apoyo.

—Lo odio —susurró—, por lo que me hizo. Por lo que nos hizo a los dos, a Carson y a mí. Odio a mi madre por dejarnos con él. Entiendo que quisiera largarse, pero ¿por qué nos abandonó a nosotros sabiendo el tipo de monstruo que era? A veces, creo que a quien odio más es a ella. ¿No es una locura?

Jensen sabía que estaba viendo un lado de Kylie que le escondía al resto del mundo. Que se estaba abriendo a él mientras ocultaba esa parte a todos los demás.

Se alegraba y se sentía afortunado porque lo había escogido. Se dio cuenta de que se debía a la proximidad y al hecho de que estaba en su cama, pero aceptaría lo que fuera que ella quisiera darle. Con el tiempo, acudiría a él por decisión propia, se abriría sin reservas y sin dudas. Hasta entonces, se contentaba con cualquier cosa que ella le dejara ver a través de las barreras.

—No es ninguna locura. Te abandonó. Y no solo eso, sino que te dejó con un hombre que sabía que te haría daño. Tienes motivos para odiarla. Espero que no pierdas ni un segundo de tu vida sintiéndote culpable por lo que sientes por tu madre. No deberías culparte por odiar a las dos personas que tendrían que haberte querido y protegido. Dos personas en las que tendrías que haber podido confiar en los momentos en los que no podías confiar en nadie. Te traicionaron, Kylie. No los traicionas ahora odiándolos a ellos y a lo que te hicieron.

—Gracias —dijo ella tan bajito que casi no oyó su voz apenada.

Él le apretó la mano sin dejar de abrazarla: no quería soltarla.

—De nada, cielo, pero quiero que me prometas algo, ¿de acuerdo?

Se movió entre sus brazos y levantó la cabeza para mirarlo, aunque le temblaban los labios y notaba que le costaba mirarlo a los ojos. Le avergonzaba que fuera testigo de su vulnerabilidad. Le entraron más ganas aún de besarla, pero no quería aprovecharse de ella en este momento de tanta fragilidad porque eso lo convertiría en un capullo.

Cuando estuvo seguro de que tenía toda su atención, le acarició la mejilla y la barbilla con un dedo.

—Por la mañana, cuando esta noche no sea más que un recuerdo, y pienses en lo que ha pasado, prométeme que no te arrepentirás de nada. Prométeme que no te avergonzarás ni te sentirás incómoda con lo que ha pasado entre los dos. Prométeme que no empezarás a evitarme más de lo habitual. Algunas cosas son inevitables, Kylie. Tú y yo somos inevitables, por mucho que te resistas, por mucho que lo niegues. Lo nuestro es inevitable.

»Lo que me has dado hoy es precioso y me alegro de que

depositas tu confianza en mí. Que me hayas dejado pasar tras esas barreras que impones para mantener a los demás a raya. Pero he visto tu interior; he visto tu yo de verdad, y esa es la persona que quiero.

Ella frunció el ceño en señal de concentración, apretó los labios y luego abrió la boca como si no pudiera formular una respuesta a eso.

Jensen le puso un dedo en los labios carnosos; no quería oír nada que no fuera su consentimiento.

—Prométemelo —volvió a decirle en un tono algo ronco.

Ella cerró los ojos, pero al final asintió.

—Dime esas palabras, tu promesa. Necesito oírlas. Ambos lo necesitamos, porque una cosa que sé de ti es que eres leal y sincera. Y en cuanto me des tu palabra, no harás lo contrario. Así que prométemelo, quiero oírlo. Hazlo por mí.

—Lo prometo —susurró ella con una voz quebrada por el esfuerzo de tener que capitular.

Él se inclinó hacia delante y le rozó suavemente los labios con los suyos. Solo fue un beso de nada. No era precisamente lo que quería. Simplemente era un gesto cálido y tranquilizador para consolarla y no agobiarla en exceso.

—Ahora duérmete, cielo, aquí en mis brazos, donde nada puede hacerte daño. Yo estaré aquí. Esta vez cuando sueñes, sueña conmigo.

Ella regresó a sus brazos, para su inmensa satisfacción, y luego suspiró; cerró los ojos y apoyó la cabeza en su hombro.

Él permaneció despierto mucho tiempo después de que finalmente se quedara dormida. Miraba al techo mientras reflexionaba en el rompecabezas que era Kylie Breckenridge. ¿Qué haría con ella?

Sabía que no podía alejarse, pero tampoco era tan idiota como para pensar que las cosas cambiarían por arte de magia después de una noche. En cualquier caso, seguro que estaría más decidida que nunca a que no volviera a verla nunca tan vulnerable.

De alguna manera tenía que cruzar esas barreras; demolerlas para siempre e instalarse en su alma y corazón. Tenía claro que valía la pena luchar por ella, así como sabía que le supondría una buena pelea.

Pero no se rendiría. Kylie era tozuda, orgullosa y desafiante, pero él lo era tanto como ella. Por primera vez en su vida, Kylie había encontrado en él a un rival. Que se fuera preparando porque no se rendiría. Esta batalla pensaba ganarla costara lo que costara.

Seis

$\mathcal{K}$ylie se despertó con una sensación completamente desconocida para ella. Trataba de procesar y averiguar qué había cambiado. Se sentía... descansada. No la acompañaba la oscuridad de sus pesadillas. Se sentía... a salvo.

Fue entonces cuando reparó en que no estaba sola en la cama. No es que no estuviera sola, sino que había un hombre de cuerpo fuerte que la protegía y que tenía la cabeza apoyada en un hombro muy musculoso.

«Jensen».

Dios mío.

Los recuerdos de la noche anterior —recuerdos humillantes, además— se agolpaban en su mente como en un desprendimiento de tierra. Había quedado como una pazguata. Se había desmoronado delante de él. Por el amor de Dios, si hasta le había esposado a su cama.

—Recuerda la promesa, Kylie.

La suave voz del hombre le vibraba en el pecho, lo que, una vez más, trajo consigo recuerdos de esa promesa que tan rápidamente le había hecho. La promesa de que no se arrepintiera ni se avergonzara, que no se asustara. No tenía muchas esperanzas de mantenerla porque la situación misma la aterraba.

—¿Qué hora es? —preguntó con la voz ronca. Era una pregunta neutra para recordar que tenían asuntos esa mañana que no tenían nada que ver con que estuvieran en una cama... juntos.

—Son solo las seis —respondió él con esa voz tranquila

que la sacaba de quicio. Parecía impertérrito pese al hecho de estar ahí juntos como dos tortolitos.

—¿Quieres café? —preguntó ella mientras se incorporaba y salía de la cama para poner distancia.

Él sonrió casi como si supiera lo aterrada que estaba.

—Me encantaría. Me tomaré uno y luego me iré a casa a ducharme y cambiarme. Luego vendré a recogerte.

—No hace falta —se apresuró a decir—, si quieres nos vemos ahí.

—Olvidas que no tienes coche —señaló él—. Además, pensaba que comeríamos después para hablar del resultado de la reunión. Después iremos a por tu coche.

De la manera que lo dijo parecía que no fueran más que negocios, pero sabía que no era así. Notó algo en su tono de voz que había estado ausente hasta entonces. Algo íntimo y... tierno. Él la miraba con tanta ternura que se le partía el corazón. Y le entraban más ganas de poner distancia entre ambos.

Se acercó al borde de la cama, se levantó y se fue derecha al armario a por una bata. El pijama no dejaba nada a la vista, pero aun así se sentía vulnerable y quería —mejor dicho, necesitaba— esa barrera adicional de ropa.

—El café estará listo dentro de unos minutos —murmuró—. Tómate tu tiempo. Ve al lavabo si quieres; todo tuyo.

Se dio la vuelta antes de poder verle la expresión; seguro que esbozaba una sonrisa. Notaba que el mundo se le había inclinado de repente. No sabía qué pensar de este cambio brusco en su relación. ¿Y qué relación? Era su jefe. Bueno, uno de ellos. Ella era su empleada y no su compañera de cama, aunque él hubiera pasado la noche —o parte— esposado al cabecero.

El calor le abrasaba las mejillas. Qué humillante, por Dios. ¿En qué clase de bicho raro se había convertido al esposar a un hombre a su cama? ¿Qué clase de persona debilucha se había vuelto al necesitar sentirse a salvo? Y más que débil, pusilánime, ya que lo había acabado soltando para que pudiera abrazarla.

Jensen Tucker la había abrazado, se había pasado la noche abrazado a ella, y lo malo es que le había encantado. No recordaba cuándo había sido la última vez que había logrado dormir tan tranquila y que se sintió tan segura. Después de aquella primera pesadilla tras la que la acogió entre sus brazos, se quedó completamente dormida y no soñó nada; ninguno de los demonios que solían acosarla perturbó sus sueños. ¿Quién necesitaba terapia? Al parecer, le bastaba con el fuerte abrazo de Jensen Tucker, aunque no lo reconocería en la vida porque eso le daría más poder sobre ella y se había prometido que nunca le daría esa clase de poder a nadie. Jamás.

Empezó a preparar el café para mantenerse ocupada; las ideas se le agolpaban en la cabeza sin ton ni son. Él había propiciado ese desequilibrio. ¿Qué quería de ella? Es como si le reclamara alguna especie de derecho. Seguía intentando descifrar las cosas que le había dicho porque no tenía ni idea de lo que significaban. O tal vez sí lo sabía y le daba demasiado miedo enfrentarse a ellas como una persona adulta.

Pero ¿por qué parecía que se interesaba por ella? ¿Por qué se preocupaba? Era un auténtico desastre. Estaba chiflada y lo peor de todo era que él lo sabía. Lo aceptaba como si fuera lo más normal del mundo. Se había erigido… ¿protector? Al menos, ese parecía el papel que había tomado y de buena gana. Además, había dejado bien clarito que lo suyo era… ¿cómo lo había llamado? ¿Inevitable? Al parecer, él estaba igual de pirado que ella. ¿Dos chiflados de tomo y lomo? Estaban abocados al desastre. Él era fuerte; ella, débil. Estaba claro que no era la receta para una relación de éxito. Era un obseso del control, eso sí lo sabía. Su mundo estaba ordenado meticulosamente. No había ni caos ni desorden, era tan dominante como Dash y Tate, por mucho que le hubiera dicho que no se parecía a ellos. No le había gustado la comparación y lo entendía. Era de los que se inventaba sus propias reglas; no había dos como él. Y mejor, porque con uno había de sobra.

Apareció al cabo de un momento y se le fue la mirada hacia él. Reparó en su aspecto descuidado; llevaba la misma ropa de la noche anterior. Sin embargo, hasta despeinado y con la camisa arrugada era un hombre increíblemente atractivo. Tenía que reconocerlo.

Había pasado la noche con él. No habían hecho el amor, de acuerdo, pero de muchas formas lo que habían vivido era mucho más íntimo que el sexo. Le había ofrecido consuelo, que era lo que más necesitaba. No sería una zorra desconsiderada, aunque esa fuera su reacción instintiva y de autoprotección. Esa reacción ante cualquier cosa que pudiera hacerle daño.

Se conocía a sí misma, sabía lo que veían los demás y lo que veía no le hacía ninguna gracia. Era un milagro que tuviera amigos siquiera porque no había sido una buena amiga. Eso podía empezar a cambiar desde ya. Podía ser más flexible sin romperse. Era hora de empezar a devolver esa ayuda y ese amor incondicional que sus amigos le daban desde que Carson muriera.

Había estado tan sumida en su propia pena y dolor que se había vuelto egoísta. No se gustaba demasiado y si no se gustaba, ¿cómo iba a gustar a los demás? ¿Por qué diantre parecía que le gustaba a Jensen? No se había mostrado receptiva a sus insinuaciones y había devuelto con insolencia sus gestos de amabilidad. Y a pesar de todo había pasado la noche con ella, ofreciéndole un apoyo incondicional. ¿Por qué? ¿Era masoca?

Él se sentó a la barra americana y ella le pasó una taza de café. Se hizo un silencio incómodo, pero ella consiguió armarse de valor y coger el toro por los cuernos.

—Gracias por lo de anoche —dijo en voz baja—. Ha significado… mucho. No era necesario, pero me alegro de que lo hicieras, que… te quedaras. Muchas gracias.

Sus ojos eran cálidos y parecía acariciarle el rostro con la mirada, como si la estuviera tocando con la mano. Casi lo deseaba, quería que la tocara. La piel se le erizó al pensar en la noche anterior. Fue fantástico estar en sus brazos, notar su fuerza y esa promesa de que nada le haría daño mientras estuviera allí.

—De nada. Me alegro de haber estado aquí para que no sufrieras sola como haces muchas otras noches, sospecho.

Ella se ruborizó y ni siquiera trató de negarlo. Él sabría que mentiría.

—¿Tú no tomas café? —le preguntó al darse cuenta de que ella no se había servido.

Kylie negó con la cabeza.

—No, ya estoy lo bastante nerviosa. La cafeína lo empeoraría.

—¿Te pongo nerviosa? —preguntó con tacto—. Después de anoche ya habrás visto que no soy un monstruo.

Notó como el calor delator volvía a subirle por el cuello.

—No, no lo eres —repuso ella—. Esto es… es incómodo para mí, entiéndelo. No permito que otros me vean como me viste anoche. Me molesta. Me hace sentir… vulnerable y odio sentirme así.

Él dejó la taza en la encimera y alargó el brazo para cogerle la mano.

—No quiero que te sientas así, cielo. Quiero que sientas justo lo contrario. Conmigo puedes ser tú misma. Te entiendo mucho más de lo que crees. Todos tenemos nuestros demonios; no estás sola.

Ella ladeó la cabeza, curiosa por ese extraño tono en su voz.

—¿Y cuáles son tus demonios?

A él le cambió la cara y sus ojos se volvieron impenetrables de repente. Se arrepintió inmediatamente de esa pregunta inocente, pero él la había visto en su momento más bajo, ¿no tenía derecho a saber algo? ¿Algo que le volviera vulnerable?

Jensen miró el reloj para evitar su pregunta.

—Tengo que marcharme ya si queremos llegar a tiempo a la reunión. ¿Con media hora te basta para estar lista?

Ella asintió.

Se levantó y, para su sorpresa, se le acercó y la abrazó.

La besó suavemente, casi como si fuera un mero roce de sus labios, pero ella notó el calor de la cabeza hasta los pies. Notaba un cosquilleo en todo el cuerpo. Los pechos se le antojaron pesados de repente, y los pezones se le pusieron duros. Suerte que la bata escondía lo que le provocaba ese simple beso.

—Vuelvo en nada —murmuró.

Se dio la vuelta y salió de la cocina; oyó que la puerta se abría y cerraba en un santiamén.

Ella se quedó ahí un buen rato y se tocó los labios, que aún le temblaban. ¿Qué acababa de pasar? ¿Y anoche? ¿Cómo había ido el episodio en sí? ¿Cómo había dado semejante giro su relación?

Regresó de su ensoñación y fue al baño a ducharse y a prepararse para la reunión con S&G. Era importante. Era su oportunidad para demostrar su valía. Jensen creía en ella. Ella también creía, tal vez por primera vez en su vida, y no estaba dispuesta a decepcionarlo a él ni a sí misma.

Siete

—*L*o has hecho muy bien, Kylie. Estoy muy orgulloso —dijo Jensen mientras tomaban asiento en el Lux Café—. El director financiero se ha quedado impresionado con tus recomendaciones. Diría que el contrato es nuestro.

Kylie se ruborizó de puro placer y agachó la cabeza, pero sabía que le brillaban los ojos de felicidad. Se pasó la reunión entera con un nudo en el estómago, sobre todo cuando Jensen dejó que tomara la iniciativa y se encargara de la presentación. Él se había quedado como mero espectador mientras ella abordaba las sugerencias para minimizar los costes de la empresa.

Le entró el pánico cuando él la dejó al mando de una reunión tan importante. Era un contrato enorme para Dash y para él. A Dash le daría un ataque cuando se enterara de la manga ancha que Jensen le había dado en esta reunión.

Pero tras un inicio algo tambaleante, y con la confianza que Jensen le depositaba y que se reflejaba en su mirada, había asumido el mando y de una forma cuidadosa a la par que eficiente, le explicó las recomendaciones al director financiero.

—Gracias —dijo ella sinceramente—. Por darme esta oportunidad, quiero decir. Significa mucho para mí. No tenía ni idea de que pudiera hacerlo. Estaba muerta de miedo.

—Pues no se te ha notado nada —repuso él—. Rebosabas seguridad. Tenías a ese hombre en la palma de la mano. ¡Si hasta habría comido de ella! Lo tenías muy pendiente. He estado a punto de darle un rodillazo en las pelotas si no guardaba la lengua en su sitio.

Ella frunció el ceño.

—¿Entonces crees que estaba tan atento porque soy mujer?

Él se echó a reír.

—No, creo que estaba atento porque eres una mujer hermosa, elegante y extremadamente inteligente. No te equivoques, Kylie. Tu aspecto no hace daño a la vista, pero ningún hombre de negocios que se precie tomará una decisión tan importante fundamentándose en la atracción sexual. Puede que haya disfrutado de las vistas, pero si has conservado su interés es por tu inteligencia y tu atención al detalle.

Algo más tranquila, se recostó en su asiento mientras el camarero les tomaba nota.

—No tienes nada que demostrar, Kylie —dijo con suavidad cuando se fue el camarero—. La única persona que no cree en ti eres tú misma.

Ella bajó la mirada porque tenía razón. No tenía la seguridad en sí misma que debería. Y ardía en deseos de tenerla. La quería con tantas ganas que casi podía saborearla. Quería enfrentarse al mundo, agarrarlo con ambas manos. Quería ser alguien que no tuviera miedo de entrar en un sitio con aplomo. Pero desde pequeña había aprendido a no ser muy ambiciosa y a no llamar la atención. Era cuestión de supervivencia. O de autoconservación.

Como si le leyera la mente, alargó el brazo y entrelazó los dedos con los suyos. Ya no se sobresaltaba al tocarla; ¿qué debía pensar sobre eso? Que había empezado a gustarle el contacto. A desearlo, incluso.

—Lo conseguirás, cielo. No sucederá de la noche a la mañana, pero lo harás. En tu interior veo quién eres de verdad. Sé que esa persona está esperando a liberarse. Y un día lo hará.

—¿Cómo puedes saber tanto de mí? No llevas tanto tiempo trabajando con Dash.

Él sonrió.

—Observo a las personas. Las estudio. Me ayuda en mi

trabajo y también en la vida. Se me da bien leer a la gente, saber cuándo me dicen la verdad y cuándo quieren venderme la moto. Y mi instinto me dice que eres una mujer valiente que ha tenido que soportar los embates de la adversidad en la vida, pero has salido aún más fuerte.

Ella se echó a reír, si bien era una risa crispada y nada alegre.

—¿Más fuerte? Permíteme que te contradiga. Me da miedo hasta mi sombra. ¿O has olvidado que te esposé a la cama anoche?

Su expresión se suavizó. Le gustaba que su mirada se volviera más cálida al mirarla así.

—Y a pesar de todo me las quitaste —remarcó él—. Confiaste en mí lo suficiente para quitármelas cuando estabas en tu momento más vulnerable. Diría que eso es ser muy valiente.

Kylie se ruborizó porque el hombre tenía la pasmosa capacidad de darle la vuelta a cada argumento. Transformaba en puntos fuertes lo que a ella le parecían puntos débiles. Ojalá tuviera tanta seguridad en sí misma como él.

—Me gustaría llevarte a cenar mañana —dijo como si tal cosa—. Y no es una cena de negocios. Una cita. Tú y yo. Nada de hablar de trabajo. Solo nosotros dos y a ver cómo nos va.

—No hay ningún «nosotros» —espetó ella, pasmada por la invitación.

Él arqueó una ceja.

—He pasado la noche en tu cama, cielo. Diría que con eso basta.

—¡Pero si no tuve más remedio! —balbució—. ¡Con eso no se sustenta ninguna cita!

Él sonrió.

—Pues olvida lo de anoche si tanto te molesta. Pero sabes que tú y yo acabaremos ahí. Es cuestión de tiempo.

Se le hizo un nudo en la garganta. Apenas podía respirar porque se le agrandaba por momentos. Este hombre la intimidaba y a pesar de todo se le antojaba revelador que no le diera miedo. Al menos, no físicamente. En su interior sabía que nunca le levantaría la mano. Además, parecía que la sola idea de que alguien le hiciera daño le ponía furioso. Pero también había otras formas de hacer daño. Algunas eran más dolorosas incluso que las físicas.

—No pienso jugar contigo —susurró ella.

Los ojos de Jensen perdieron el brillo travieso y sensual, y adoptó una expresión muy seria.

—Esto no es un puto juego, Kylie. Para mí, no. Nunca lo es. No eres un juego, ni un reto ni una muesca en el cabecero de mi cama. No voy follando por ahí con cualquiera. No me he llevado a la cama a mil mujeres y no soy ningún cabronazo que te considera un trofeo.

Se quedó muda. Sin habla. Le temblaban tanto las manos que tuvo que dejar el vaso de agua en la mesa porque el líquido empezaba a desbordarse y mojar la mesa.

—¿Qué quieres de mí? —graznó.

Él la miraba fijamente y con aire decidido. Sonreía.

—A ti. Solo a ti, Kylie. Y todo lo que tienes por dar.

Empezaba a marearse por haber contenido la respiración durante tanto tiempo y al final se obligó a respirar porque empezaba a ver puntitos negros. Tuvo que armarse de valor para no desmayarse en medio del restaurante.

—No tengo nada que darte —dijo en voz baja.

Por algún motivo, la crudeza de lo que acababa de decirle hizo que tuviera ganas de llorar. Las lágrimas le quemaban en las pestañas, pero se negó a dejarlas salir. No tenía nada que ofrecerle a este hombre. A ningún hombre, vaya. Pero, sobre todo, no a alguien como Jensen que podía tener a cualquier mujer que quisiera y que no tenía que buscar mucho para encontrar a una compañera. Seguro que las tías hacían cola frente a su dormitorio.

—Te equivocas —repuso él son suavidad.

No dijo nada más. Se quedó mirándola con esa mirada intensa, con esos ojos que no se apartaban de los suyos y que captaban hasta su último pensamiento y toda reacción. Estaba convencida de que veía en sus ojos el brillo de las lágrimas que querían salir. Tragó saliva; le dolía la cabeza por el esfuerzo que tenía que hacer para que no se diera cuenta de lo mucho que le afectaba… él.

Pero lo sabía, maldita sea. Lo sabía. Por lo menos no alardeó ni se mostraba triunfante. Solo la miraba con ternura, como hacía siempre, como si supiera exactamente la batalla que se libraba en su interior. Como si viera todos sus miedos y oyera todas sus dudas. Y a pesar de todo la quería.

Eso la asombraba y la confundía al mismo tiempo.

—No es más que una cita —dijo con tono amable—. Una cena. Y tal vez una película. Podríamos alquilar algo y verlo tranquilos en el sofá. No intentaré meterme en tus bragas. Aún —añadió con una sonrisa traviesa.

El coqueteo debería enfadarla, pero de hecho se lo agradecía porque al quitarle hierro al asunto los ojos dejaron de quemarle y se le quitaron las ganas de llorar.

No era más que una cena. ¿Qué había de malo en eso? Y mientras se lo preguntaba, se le ocurrió la respuesta. Ceder ante él era como abrir las puertas a un ejército invasor. Como le diera la mano, le cogería el brazo entero.

—Empiezas a herirme el ego —dijo escuetamente—. No soy tan terrible, mujer.

—No —convino ella, porque no quería que pensara algo así. Había hecho mucho por ella. Había sido demasiado amable y comprensivo. La había visto en su peor momento. ¿Cómo podía pensar algo semejante de él?

—Bueno, algo es algo —dijo al tiempo que soltaba un suspiro exagerado para mostrar su alivio—. Bueno, volviendo a la cena. Prometo que no te llevaré a ese sitio para ricachones aburridos. ¿Aceptas?

Ella se echó a reír, incapaz de controlar la reacción que le provocaba. Podía ser encantador cuando no estaba en plan intenso y pensativo, que era la mayor parte del tiempo. ¿Por qué le daba por pensar que ella era la única que le veía ese lado? Era muy egoísta por su parte pensar algo así, pero no podía quitarse esa idea de encima. Había visto cómo se comportaba con los demás: educado pero distante. Observador. Siempre atento.

—De acuerdo —dijo al final.

Se había prometido a sí misma que dejaría de ser tan cobarde y rechazarlo sería de una cobardía supina, sobre todo después de lo de la noche anterior. Se negaba a esconder la cabeza o a salir por piernas, aunque eso fuera lo que le pedía su instinto. Sin embargo, había llegado la hora de modificar su planteamiento de vida y dejar de acobardarse a la mínima que hubiera un conflicto. No podía evitar al resto de la humanidad para siempre. Tal vez, salir con Jensen le devolviera parte de la seguridad en ella misma.

O tal vez, acabara perdiéndose por completo en él.

—Mierda —murmuró cerrando los ojos.

—¿Qué?

Volvió a abrirlos, esperando que viera lo sincera que era.

—No puedo salir a cenar contigo el viernes.

Él frunció el ceño.

—¿Y por qué no?

Suspiró.

—Le prometí a Chessy que cenaría con ella. Tate va a reunirse con un cliente importante y como Joss no está, se siente sola. No puedo dejarla plantada, Jensen. Tate ha estado demasiado ocupado últimamente y me preocupa.

Él le sonrió.

—Eres una amiga muy leal. Tiene suerte de tenerte. Te libero de lo de mañana a cambio de que me concedas la noche del sábado.

Se sintió tremendamente aliviada.

—Trato hecho.

—Perfecto. Te recojo a las seis y media. No hace falta que te arregles mucho. ¿Quieres que veamos la película en tu casa o en la mía?

Era una tontería ponerse nerviosa por la idea de ir a su casa o de estar a solas allí. Él había estado en la suya y hasta había dormido en su cama, abrazado a ella.

—En mi casa —dijo ella rápidamente con la esperanza de que no captara el repentino tono de pánico y se lo tomara como algo personal.

Pero él se limitó a dedicarle esa sonrisa que le decía que sabía exactamente lo que estaba pensando y sintiendo.

—Pues en tu casa. Si no quieres que salgamos, puedo preparar la cena en tu casa y luego vemos la película —dijo muy natural.

Ella frunció el ceño.

—Pero eso no es justo. ¿No debería cocinar yo para ti?

Él arqueó una ceja.

—Yo te he invitado a salir y si me ofreces tu hospitalidad, lo menos que puedo hacer es cocinar para ti. Además, soy un cocinero de primera, aunque me esté mal decirlo.

Kylie levantó las manos.

—De acuerdo, tú ganas. Dame una lista de lo que necesitas e iré a comprar el sábado por la mañana.

Él negó con la cabeza.

—Yo me ocupo. Lo único que te pido es que estés sentadita y me hagas compañía mientras obro la magia en tu cocina.

—Ya veo que me toca la mejor parte de este trato —dijo ella, escueta.

—Al contrario —repuso él con suavidad—. Disfrutaré de tu compañía. Creo que eso vale muchísimo más que una comida.

Ella volvió a quedarse muda, algo que parecía sucederle con frecuencia cuando él estaba cerca. Y lo mejor era que parecía totalmente sincero.

—Te juro que no sé qué voy a hacer contigo, Jensen Tucker —le dijo, apabullada.

Él sonrió.

—Si no lo sabes, estaré encantado de enseñártelo.

Ocho

Si Kylie esperaba que la relación con Jensen en la oficina fuera tensa, se equivocaba. Se imaginaba situaciones incómodas e incluso embarazosas. No era tonta; no podía pasar por alto la atracción que había entre los dos.

¿Cómo era ese dicho? ¿Que los polos opuestos se atraen?

En su caso no podían ser más opuestos. Eran completamente distintos. Él era fuerte, invulnerable, valiente y seguro de sí mismo. Nada podía con él. Rebosaba autoridad y lo envidiaba. Ella era débil y cobarde; la seguridad en sí misma no era una de sus mejores cualidades.

Estaba en su despacho con la mirada fija en los muchos informes que tenía que revisar antes de reunirse con Jensen en una hora. Sin embargo, estaba bloqueada, tenía la mente en blanco. Y para ser sincera, aún no conseguía soltarse y estaba aterrorizada por verlo.

Tenían una cita al día siguiente. Él había pasado la noche en su cama, habían ido a comer donde le había pedido una cita. Y le había dejado claro que no tendría nada que ver con el trabajo.

¿Cómo se suponía que tenía que actuar cerca de él? Estuvo a punto de echarse a reír al pensar que, de algún modo, estaba viviendo una de esas novelas romanticonas de directores que se liaban con sus secretarias. De jefes y sus asistentes personales. En la vida real, la mayoría de las personas era consciente de las dificultades de mezclar negocios y placer, y la mayoría de empresas tenían reglas estrictas sobre los empleados que mantenían relaciones personales.

Pero Dash y Jensen no rendían cuentas a nadie. No era una empresa normal. Pobre del que intentara decirles cómo tenían que llevarla.

No tenían ningún manual del empleado ni había ninguna regla contra la confraternización de los trabajadores, pero eso no significaba que Kylie fuera una idiota por involucrarse con Jensen Tucker.

—Dejemos a un lado que sea tu jefe —murmuró seriamente—. Esto es lo más obvio en la columna de los contras.

También lo era que él fuera la antítesis de lo que ella quería o necesitaba de un hombre. No sabía decir exactamente qué quería porque en realidad no buscaba relaciones con hombres. Sí, había salido con alguien de vez en cuando, pero era evidente que sus problemas no eran un atractivo para los hombres que la habían invitado a salir.

No los culpaba. Si se lo planteaba fríamente se daba cuenta de que era una mujer difícil. Era malhumorada, puntillosa, siempre a la defensiva y tímida. No eran los distintivos de una mujer deseable que ponía a los hombres a cien.

No obstante, le gustaría provocar algo así en los hombres aunque fuera solo una vez. Poder hacer acopio de valor, tener un buen par de ovarios y estar segura de sí misma. Poder entrar en un sitio con aplomo con sus zapatos de tacón y un vestido para morirse, y que la desearan todos los hombres del lugar.

—¿Y qué harías con ellos, eh? —se preguntó asqueada.

Nada de nada. Eso haría. Echaría a correr como una gallina, escondería la cabeza en la arena como un avestruz y rezaría para que la vida pasara deprisa y no la usara como cabeza de turco otra vez.

¿Cuándo diría «basta»? Tenía veintitantos y, sin lugar a dudas, seguía siendo joven, aunque había días que se sentía mucho mayor. Era el peso de toda una vida que la aplastaba, la ahogaba y la hacía infeliz. Le parecía que la infancia había durado una eternidad y que esa sensación de encarcelamiento se había alargado hasta el infinito.

En su peor época, cuando ella y Carson eran pequeños, albergaba en secreto la esperanza de poder terminar con todo. Ahora la avergonzaba pensar en lo cerca que había estado de quitarse la vida. No era más que una niña, ¿y qué niña tenía esas ideas tan oscuras y funestas?

Lo único que le paró los pies fue pensar en Carson. Solo, recibiría toda la ira de su padre y no iba a permitirlo.

Carson se había puesto entre ella y su padre muchas veces, igual que otras tantas ella había hecho lo mismo por él.

Cuando su padre iba borracho lo pagaba con Carson. Las otras veces, cuando estaba sobrio, desataba su rabia con Kylie; nada de lo que ella hacía estaba bien. Todo se castigaba con dureza. Carson había tratado de protegerla igual que hacía ella cuando su padre bebía demasiado y descargaba su ira sobre su hermano.

Nunca le había dicho que había barajado el suicidio. De hecho, nunca se lo había contado a nadie. Era su secreto más oscuro, enterrado bajo capas de dolor y desesperación, pero que aún estaba allí. Era un recuerdo que tenía muy presente, como un recordatorio de lo a punto que había estado del abismo.

Y a pesar de todo parecía estar regresando a ese pasado turbio. Parecía estar llegando a ese abismo del que nunca había salido en realidad. ¿Por qué ahora?

Estaba a salvo de su padre. Nadie podía hacerle daño. Tenía un hogar, su fortaleza, entre las cuatro paredes de la cual podía encerrarse. Un refugio sin intrusos del mundo exterior.

La muerte de Carson había sido un golpe muy duro para ella y seguía notando el dolor. Tal vez no se había enfrentado al dolor como era debido. Había actuado como un robot durante todo el proceso, incapaz de comprender que la única persona que la había querido y protegido se hubiera ido. Que estaba sola, era lo único que la aterraba.

Carson y Joss eran su única familia y ella no tenía ganas de formar ninguna propia. Sabía también que Carson no quería niños, a diferencia de Joss. Entendía su temor, que de algún modo sus genes podridos pasaran a sus hijos. Era un miedo que ella compartía.

Su madre los había abandonado, los dejó con un monstruo que sabía que era capaz de las mayores atrocidades. No tenía ejemplo ni modelo, nadie a quien admirar. Solo una madre ausente y un padre alcohólico, maltratador y, por si fuera poco, misógino.

Sacudió la cabeza con los labios apretados. No, ella tampoco quería arriesgarse a tener hijos. ¿Y si era una madre horrible? ¿Y si sus niños se volvían unos monstruos como sus padres? A saber lo que podría pasar si ella o Carson tenían hijos.

Que la sangre y el apellido de su padre murieran con ella le estaba bien; él era el único familiar que le quedaba. Ojalá pudiera llevarlo al infierno consigo. Porque solo Dios sabía que había vivido ese infierno todos los días desde que era un bebé.

—¿Has terminado esos informes?

La voz de Jensen por el intercomunicador la sobresaltó e interrumpió sus oscuros pensamientos.

Atacada, recogió los papeles y les echó un rápido vistazo para comprobar que había terminado de revisar el montón.

—Sí —contestó con la voz algo entrecortada, cosa que la fastidiaba sobremanera—. ¿Quieres que te los traiga?

—Sí, por favor.

Se incorporó y recogió todos los informes, que ordenó en un montoncito ordenado. Entonces, inspiró hondo y se dirigió al despacho de Jensen por el pasillo. La puerta estaba abierta; él no estaba prestando atención. Estaba concentrado mirando algo en el ordenador y tenía el ceño ligeramente fruncido.

Tenía la parte superior de la camisa sin abotonar y hacía rato que debía de haberse quitado la corbata. Llevaba las mangas enrolladas hasta los codos. La chaqueta estaba tirada en una silla.

Era muy dado a las comodidades, y mientras Dash y Carson parecían cómodos con sus mejores ropas y en su salsa en ese mundo que habían creado para ellos, Jensen parecía algo más incómodo. Era callado, reservado, y parecía contentarse con que Dash hablara por los dos.

Pero Kylie se apostaba el sueldo a que Jensen no se perdía ni un solo detalle de nada. Que conocía hasta al último cliente y los entresijos de los contratos y del trabajo que había que hacer.

Se acercó a su mesa algo vacilante porque no quería que perdiera la concentración. Dejó el montón de papeles en una esquina y se dio la vuelta para salir de allí lo antes posible.

—Kylie, espera —le ordenó.

No tendría que haberle sorprendido que la hubiera visto en cuanto entró por la puerta. Aunque no había hecho ningún gesto que lo confirmara y había seguido mirando lo que le tenía enfrascado en la pantalla del ordenador.

Levantó la vista y se lo encontró mirándola; su mirada la acariciaba como si fuera algo tangible. Le encantaba esa manera que tenía de mirarla. Le encantaba lo que le hacía sentir: a salvo, protegida, como si le importara lo que le pasara.

Esas miradas eran adictivas y las absorbía con una avaricia descarada.

De repente, su expresión adoptó un aire de desagrado y ella notó una opresión en el pecho. No le gustaban los conflictos, los evitaba a toda costa y, si no podía, entonces trataba de aliviarlos como fuera.

—¿Pasa algo? —preguntó, nerviosa—. ¿Puedo ayudarte con algo?

Jensen le cogió la mano y eso la dejó asombrada porque siempre la había tratado con naturalidad y desapego en el trabajo. Le dio un apretón e hizo que se acercara hasta que la tuvo junto a su butaca. Se echó hacia atrás para colocarse frente a ella.

—El lunes tengo que ir a la ciudad. Vuelvo el miércoles por la noche para poder estar en el despacho el jueves a primera hora.

Ella asintió, preguntándose qué le había hecho cambiar de humor. No era nada raro que Dash y él fueran a la ciudad.

—Es el contrato con S&G —continuó—. El director financiero se quedó muy impresionado y quiere seguir adelante con nuestra propuesta. Quiere que asista a una reunión con el director ejecutivo y la junta directiva en Dallas. El contrato es nuestro. Solo hay que seguir ciertos pasos para conseguir el visto bueno de los mandamases. Y por supuesto quieren verme... vernos.

Entonces hizo una mueca y se pasó una mano por el pelo.

—Es tu contrato, Kylie. Eres tú quien debería ir y no yo. Por lo menos deberías acompañarme, pero como Dash no está, no podemos dejar la empresa desatendida tres días.

—Claro que no —repuso ella, asombrada por haberlo contemplado siquiera—. Mi trabajo es llevar la oficina, Jensen.

—Pero te lo mereces —añadió con un rictus serio—. La mayoría de las sugerencias eran tuyas, aunque las hubiéramos acordado juntos. Llevaste muy bien la reunión con el director financiero. Estoy convencido de que tendrías a la empresa entera comiendo de tu mano si expusieses la presentación.

Ella negó con la cabeza; estaba muy contenta por el halago, pero a la vez aterrada por la idea de presentar sola la propuesta. Sin Jensen allí para apoyarla. Le gustaba la idea de salir del cascarón y enfrentarse al mundo por un día, pero no sería hoy. Ni mañana.

Poquito a poco, se dijo.

—Entonces estarás fuera del lunes al miércoles —dijo ella en voz baja—. Creo que puedo proteger el fuerte mientras no estás.

—Eso ya lo sé —repuso él, serio—. Pero, joder, me gustaría que vinieras.

Kylie puso los ojos como platos al reparar en el motivo de su enfado. No quería dejarla allí, pero no le quedaba más remedio. No tenían suficientes empleados, aunque Kylie llevaba tiempo diciéndoles que contrataran a un par de asistentes para la oficina. Los dos hombres necesitaban secretarios, empleados que viajaran con ellos, trabajaran codo con codo y se ocuparan de sus asuntos profesionales y personales.

Su trabajo era llevar la oficina, asegurarse de que las cosas fueran bien, que todo se hiciera a tiempo y que las cuentas por cobrar estuvieran siempre al día. Pero les hacía de asistente personal a los dos en lugar de ser encargada, y la tenían muy ocupada. Tenía trabajo como para dos personas y, a pesar de eso, ninguno de los dos parecía interesado en contratar a nadie más. Decían que les gustaba cómo trabajaba y que estaban contentos con sus servicios.

Tomó nota mental de que debía pedir un aumento de sueldo si no se lo daban automáticamente en la reunión de evaluación, dentro de unas semanas. Se lo merecía. La antigua Kylie nunca hubiera abierto la boca. Seguía cobrando lo mismo y no se quejaba cuando le daban más trabajo. Hacía lo que fuera para que reinara la paz y no hubiera conflicto alguno.

Pero la nueva Kylie sabía que valía mucho más de lo que reflejaba su sueldo. Tampoco era que la subestimaran; ambos se deshacían en elogios al hablar de su trabajo y cuando le decían que no podrían apañárselas sin ella.

La nueva Kylie sería tajante, eficiente y le echaría un par. Pediría un ascenso y no uno pequeño.

Tenía objetivos como cualquier persona. Quería una casa nueva en un nuevo barrio, no en el mismo que Dash, Joss, Tate y Chessy. Jensen vivía a unos tres kilómetros de ahí, en otra urbanización exclusiva. Era hora de romper con todo, de dejar de depender de la gente que la rodeaba y que la sobreprotegía.

Se sentía un fraude viviendo donde estaba ahora. Carson había insistido en que viviera cerca de él. Donde pudiera cuidarla y protegerla, como había hecho siempre. Y ella le había fallado cuando más la necesitaba. Tendría que haber sido ella y no él. Tenía a Joss, alguien que lo amaba y a quién él adoraba más que a nadie. Kylie no tenía a nadie, solo a Carson y, por extensión, a Joss.

Tendría que haber sido ella.

No era un deseo suicida. No se había vuelto a plantear el suicidio desde pequeña, cuando tuvo ese momento en que se dijo que estaría sola, protegida y a salvo de la violencia de su padre si cedía y tomaba la salida más fácil.

—¿Qué diantres pasa dentro de esa cabecita? —murmuró Jensen.

Ella lo miró con aire culpable, a sabiendas de que no le estaba prestando la atención que merecía como jefe. El calor le encendió las mejillas. Era vergüenza, la vergüenza de haber rememorado esos momentos terribles de su pasado.

—Nada que valga la pena repetir —respondió ella, sincera.

Él negó con la cabeza.

—Uno de estos días tendrás que confiar en mí lo suficiente para compartir esos pensamientos oscuros que parecen rondarte cada dos por tres. Puede que pienses que se los escondes al mundo, y tal vez así sea, pero a mí no me engañas. Veo más allá de esa apariencia ensayada, Kylie. Y no lo digo para alarmarte, sino para que me creas cuando te digo que nunca te haré daño. Nunca haría nada que te causara dolor.

Ella tragó saliva y asintió; no sabía qué más hacer. ¿Cómo podía explicar que había ciertas cosas que no debían compartirse? Aunque él dijera conocer su pasado, no podía saberlo todo. Nadie lo sabía todo, ni siquiera Carson.

—Todo irá bien —dijo ella tranquilamente—. Ve a cerrar el trato con S&G que yo me ocupo de la oficina. Dash volverá dentro de una semana. Él y yo solíamos llevar la oficina, así que soy perfectamente capaz de llevar las cosas sola mientras estés fuera.

—Pero eso no es lo importante —añadió él con paciencia—. Te lo mereces. Deberías ir tú y no yo.

Ella palideció y negó con la cabeza.

—Te agradezco la oportunidad y la confianza que depositas en mí, pero ya has hecho suficiente. Dejaste que te ayudara con la propuesta y con eso basta. No me sentiría cómoda presentándola a los altos cargos. Eso es tu especialidad, no la mía. No querría tener que cargar con esa responsabilidad si perdiéramos un contrato así por no tener la experiencia suficiente para sacarlo adelante.

Una mirada comprensiva se asomó a sus ojos y ella notó el escalofrío que sentía cada vez que la miraba de esa forma.

—La adquirirás, cielo. Tal vez no ahora, pero con el tiempo, seguro. Pienso hablar largo y tendido con Dash sobre tu puesto en la empresa cuando vuelva.

Se le pusieron los ojos como platos. Quiso protestar pero Jensen la calló con una mirada.

—No me harás cambiar de opinión.

Ella esbozó una sonrisa de pesar.

—Solo iba a pedir un aumento, uno grande, en mi próxima reunión de evaluación. Con eso gastaría mis reservas de toma de decisiones de un año entero.

Él soltó una carcajada.

—Conseguirás ese aumento de sueldo y, si está en mis manos, un ascenso también. Eso significará que necesitamos a otra encargada, porque si vas a trabajar más estrechamente con Dash y conmigo, no tendrás tiempo para lo demás.

Ella frunció el ceño. Era muy posesiva en lo que se refería a la oficina. Eran sus dominios, era ella la que la llevaba y organizaba. Conocía los entresijos mejor que Dash y Jensen. Era ella la que hacía que las cosas funcionaran bien. Le gustaba saberse indispensable, que valía para algo.

—Vales mucho más que para ser oficinista, Kylie. Tienes una carrera e inteligencia de sobra. Lo único que te falta es más seguridad en ti misma. En cuanto la tengas serás imparable, te lo garantizo.

Ella volvió a ruborizarse; sintió calor por todo el cuerpo. Jensen parecía segurísimo de sus habilidades y si él estaba así de seguro, ¿por qué no iba a estarlo ella?

—Gracias —dijo en un hilo de voz.

Él sonrió y Kylie se movió, incómoda; sabía que llevaba mucho rato en su despacho y que tenía que estar trabajando en otras cosas.

Se dio la vuelta, pero Jensen la llamó y se detuvo.

—Pásatelo bien con Chessy esta noche. Mañana nos vemos. A las seis y media en tu casa.

Era un recordatorio de su cita. La manera como se lo dijo le indicaba que tal vez esperaba que se echase atrás o le viniera con alguna excusa.

Pero no hizo ninguna de esas dos cosas. Se dio la vuelta para asegurarse de que la agitación que sentía no se reflejara en su rostro. Contestó con toda la tranquilidad de la que fue capaz.

—Nos vemos a las seis y media.

Nueve

—¿*Qué*? ¿Alguna novedad? —preguntó Chessy mientras se sentaban a su mesa preferida del Lux Café.

Por la cantidad de veces que comían ahí y que pedían la misma mesa, tendrían que grabarles el nombre. Los camareros tuteaban a las tres chicas y ya ni preguntaban dónde querían sentarse. Se limitaban a acompañarlas a su mesa del rincón en cuanto entraban por la puerta.

Kylie tomó asiento, preguntándose si Chessy podría leerle la mente porque, en general, Kylie nunca tenía ninguna «novedad». Simplemente escuchaba lo que les pasaba a Joss y a Chessy y participaba en la conversación que estas iniciaban.

Ahora que Chessy le prestaba toda su atención, no sabía qué decir. Eran amigas, lo que significaba que debían contarse los detalles más íntimos. Secretos. Cotilleos. Cosas que no le contarían a otras personas. Solo que Kylie nunca había cumplido su parte del trato.

—Pues no hay gran cosa —contestó ella—. Lo de siempre. El trabajo me mantiene ocupada.

Chessy la escudriñó; sus ojos verdes tenían un brillo malicioso.

—Te veo algo distinto. No sabría decirte qué es, pero me atrevería a decir que hay un hombre.

Kylie se puso roja hasta las cejas. Ay, madre, vaya amigas más entrometidas y sabiondas. Sin Joss, la pacificadora, como defensa, Chessy se le pegaría como una lapa y no se la podría quitar de encima ni con agua caliente.

—Ay, Dios mío. Tengo razón, ¿verdad?

Se inclinó hacia delante; los ojos le brillaban con un cierto aire de malicia y curiosidad.

—Cuenta —le ordenó—. No te saltes ni un detalle.

Kylie suspiró, pero, al mismo tiempo, notó calor por todo el cuerpo. Tener amigas era para esto. Nunca sintió que aprovechara la amistad con Joss y Chessy porque nunca había tenido nada que compartir… hasta ahora.

La cuestión era si quería contárselo a Chessy cuando ella misma no tenía ni idea de lo que pasaba entre Jensen y ella.

—No lo sé —dijo Kylie con toda sinceridad.

Una expresión de preocupación se asomó a los ojos de su amiga.

—¿Qué pasa, cariño?

—Es Jensen —dijo ella de sopetón.

Chessy puso los ojos como platos.

—¿Jensen Tucker? ¿El que trabaja con Dash?

Ella asintió.

—El mismo que viste y calza.

—Ay, madre —murmuró su amiga—. Eso son palabras mayores. Ese tío me intimida.

—Ponte a la cola —añadió ella con cierto pesar—. No sé qué quiere de mí, pero conmigo es diferente. Vamos, diferente a como es con los demás.

Ella sonrió.

—Bueno, una mujer, la mujer adecuada, puede hacerle eso a un hombre. Pero explícame esto de «diferente». ¿A qué te refieres?

Kylie volvió a suspirar; sabía que Chessy no callaría hasta que le sonsacara hasta el último detalle.

—Tenemos una cita mañana por la noche. Remarcó mucho que sería una cita, nada de trabajo. Nada que tuviera que ver con la oficina. Una cita de verdad. Dios, me aterra solo decirlo.

—¿Pero quieres salir con él o te ha presionado para hacer algo que no quieres?

Su amiga frunció el ceño; se había puesto en modo protector. Kylie sonrió.

—Le dije que sí voluntariamente. Puede que tenga que ir al psicólogo, pero sí, quiero salir con él, aunque no vamos a ningún sitio. Me va a preparar la cena en casa. Y después veremos una peli. Tampoco es una cita propiamente dicha.

—Pues a mí me suena perfecta —dijo ella con melancolía—. Estoy cansada de salir a cenar. Parece que Tate siempre tiene que quedar con los clientes y quiere que lo acompañe para que podamos pasar más tiempo juntos. ¿Un día en casa, solos, que me haga la cena y luego pasar el rato en el sofá viendo una película? Sería el paraíso.

Kylie frunció el ceño y se inclinó hacia delante. Llevaba meses preocupada por su amiga. A Joss y a ella les preocupaba su matrimonio con Tate. Chessy siempre estaba como unas castañuelas y podía derretir hasta el corazón más gélido. Era más buena que el pan. Era de carácter amable y generoso. Sin embargo, últimamente se le había apagado la luz de los ojos. Parecía… infeliz. Y eso le tocaba la moral.

A Kylie le preocupaba que Tate la estuviera maltratando de alguna forma, aunque Joss le había dicho en repetidas ocasiones que eso no podía ser ni por asomo. No obstante, Joss no había visto nunca el lado oscuro de los hombres, como ella. Kylie sabía que detrás de un exterior pulido y reluciente podía ocultarse un monstruo.

—¿Va todo bien entre Tate y tú? —preguntó ella sin rodeos, cuando al fin logró darle voz a lo que Joss y ella llevaban meses preguntándose.

Su amiga parecía sorprendida, pero su expresión de duda le dijo a Kylie que no iba muy desencaminada. No se apresuró a negarlo ni puso cara de horror. De hecho, no dijo nada de nada. Se quedó callada con la mirada triste.

—Todo va bien —dijo al final con un hilo de voz, aunque no sonreía—, pero me siento sola. Veo tan poco a Tate que… bueno, eso tampoco es cierto. Lo veo, pero nunca en privado. Siempre estamos con clientes o en sitios públicos, por lo que no pasamos tiempo juntos, ¿entiendes a qué me refiero?

—¿Pero eres feliz? —insistió ella.

Chessy agachó la cabeza para evitar su mirada.

—No —contestó débilmente—. Ahora no. Es una tontería y sé que soy egoísta. Tate me cuida mucho. Se está rompiendo el lomo porque no quiere que me falte de nada. Quiere que lo tenga todo siempre, pero lo único que yo quiero es a él. No quiero dinero ni cosas. Solo lo quiero a él y que las cosas sean como antes.

—Eso no es ser egoísta —dijo Kylie—. ¿Has hablado con él? ¿Le has contado cómo te sientes?

Ella negó con la cabeza.

—No puedo. Le dejaría hecho polvo si creyera que soy infeliz. Tengo que capearlo como pueda. Las cosas mejorarán. El matrimonio no es algo fácil. Si lo fuera, no habría tantos divorcios, y lo último que quiero es plantar la semilla de la duda en Tate. No quiero separarme. Solo quiero estar con él. Lo quiero muchísimo.

Su amiga alargó el brazo y le apretó la mano.

—Ya lo sé. Y también sé que te quiere. Al final todo se arreglará, ya verás. Tienes que creértelo. ¿Has seguido dándole vueltas a lo de si te era infiel? Sé que eso se te pasó por la cabeza, aunque fuera brevemente, y no querías preguntártelo por lo que eso le haría a la relación si Tate creyera que desconfiabas de él.

Aunque Joss fue la primera persona a quien Chessy se lo contó, ella misma había sacado el tema con ambas, pero solo tras hacer prometer a Kylie que no le diría nada a Tate. Kylie era de las que cogen el toro por los cuernos; no era tan dulce y comprensiva como Joss. Y tal vez, sí se lo hubiera preguntado a Tate si no le hubiera prometido que no lo haría. No quería que nadie le hiciera daño a su amiga. Sabía, por los motivos que fuera, que Chessy no era feliz y le daba mucha rabia no poder solucionarlo.

Kylie nunca le había confesado que temía que Tate la estuviera maltratando. Solo había hablado de eso con Joss. Ahora se alegraba de no haberlo hecho porque eso hubiera causado un daño irreparable en su relación y Kylie tenía experiencia en eso de esperar lo peor de la gente. Tal vez era una exageración. No creía en serio que Tate la sometiera a ningún abuso, pero también pasaba eso con muchos maltratadores.

Chessy sacudió la cabeza.

—Fui tonta y me dejé llevar por la emoción. No lo veo capaz de engañarme. No quiero pensarlo siquiera porque eso dejaría una sombra de duda que me volvería loca. Además, ¿cuándo tendría tiempo para verse con otra mujer? Sé que me quiere. Lo sé. Solo estamos pasando por dificultades. Quería intentar quedarme embarazada. Es lo que ambos queremos… o queríamos. Ahora ya no estoy tan segura. Hace tiempo que Tate no habla del tema. La última vez que lo mencioné, me dijo que prefería esperar a que la empresa fuera más segura, así que no he vuelto a sacar el tema. Y quizá esté buscando la forma de llenar el vacío para no sentirme sola, lo que es un motivo muy malo para tener un crío.

Kylie esbozó una sonrisa con aire compasivo, pero estaba de acuerdo en que lo mejor era esperar. No estaba del todo segura de que las cosas fueran bien, por mucho que Chessy se esforzara. Traer al mundo a un niño en una situación tan incierta solo empeoraría las cosas. Si Tate pasaba fuera tanto tiempo, ¿cómo podría enfrentarse Chessy a la maternidad sin su marido como apoyo?

Sin embargo, no se lo dijo porque no quería alterarla más de lo que estaba. Se sentía mal por su amiga. La soledad era algo que ella conocía bien.

Tomó nota mental para pasar más tiempo con ella, sobre todo mientras Joss estuviera de luna de miel.

—Pero volvamos a lo tuyo con Jensen —dijo Chessy con un brillo travieso en la mirada—. ¿Cómo ha ocurrido todo? ¿Es uno de esos romances de los que salen en las novelas?

Kylie resopló.

—Al principio, creía que era un tío controlador e insufrible cuya única ambición era hacerme la vida imposible. Me dijo que tenía un aspecto horrible. ¿Has visto qué bonito preludio para invitarme a salir?

Chessy escogió las palabras con cuidado.

—Pues algo de razón tenía, cariño. Pareces… cansada. ¿Has vuelto a tener pesadillas?

Ella se encogió de hombros con indiferencia.

—¿Y cuándo no las tengo? No es algo que se pueda superar sin más, ¿sabes?

Le daba mucha rabia que la gente hablara de cosas tan personales para ella. Se sentía mucho más cómoda hablando de Chessy o de Joss y de lo que les pasaba a ellas. No solía hablar de su vida porque no quería que sus amigas se preocuparan. Estaban al corriente de lo que le pasó de pequeña. Joss lo sabía por Carson y Chessy se había enterado después de hacerse amigas. Pero que lo supieran no quería decir que tuviera que ser un asunto abierto a la especulación.

—Sí, lo sé y lo siento. Ojalá pudiéramos hacer algo para ayudarte. ¿Has pensado en ver a un terapeuta? ¿O tal vez en tomar algo de medicación?

—Ahora pareces Jensen —murmuró ella.

—Cariño, pedir ayuda no te hace más débil —repuso ella con delicadeza.

Chessy era consciente de lo mucho que odiaba parecer débil. Era una de las cosas que había contado a sus amigas. Odiaba sentirse impotente, como si no estuviera al mando de su vida y de lo que la rodeaba. Quizás sí necesitaba ir al loquero, pero la horrorizaba la sola idea de confesarle a un completo desconocido los secretos más oscuros que nunca había contado a nadie.

Negó con la cabeza.

—No puedo, Chessy. No espero que lo entiendas. Si no lo entiendo ni yo misma. Pero la idea de dejar entrar en mi cabeza a un desconocido me aterra. Creo que empeoraría las cosas en lugar de mejorarlas.

—Puedes hablar conmigo, ya lo sabes —dijo su amiga en voz baja—. Sabes que nunca traicionaría tu confianza. Ni siquiera se lo contaría a Joss si me lo pidieras. Y evidentemente no le diría nada a Tate.

—Te quiero —le dijo Kylie sinceramente—. No sé qué haría sin ti y Joss. No sé por qué me aguantáis. Sé que soy un poco pelma y cascarrabias. Sigo sin entender por qué queréis ser mis amigas. He dicho cosas horribles. Acuérdate de cuando ataqué a Joss al saber que estaba con Dash. Cada vez que lo pienso me muero de vergüenza. Joss no merecía ese rapapolvo. Me porté como una cabrona.

Chessy sonrió y su mirada se volvió más cariñosa. Reflejaba un amor inquebrantable e incondicional, algo que Kylie no había experimentado nunca salvo con Carson. Aún la desconcertaba. A veces hasta la incomodaba, cosa que, si lo pensaba, era desquiciante. Sin embargo, la verdad era que no sabía cómo gestionar esa devoción y lealtad porque nunca las había tenido.

—Eres una persona maravillosa, Kylie. Eres una amiga leal y cariñosa. Joss y yo tenemos suerte de que seas amiga nuestra. Además, nadie es perfecto. Todas nos hemos peleado en algún momento u otro. La amistad funciona así. Hieres a la gente que más quieres, pero luego te disculpas, perdonas y sigues adelante, e incluso la amistad es más fuerte que nunca. Joss no te guarda ningún rencor por las cosas que le dijiste. Sabía que estabas pasando por una mala época y que estabas enfadada. Ni siquiera yo vi venir eso. ¿Joss y Dash? ¿Que Dash llevaba tiempo colado por ella? Ya te lo dije al principio, lo sospeché durante un tiempo, pero luego pasaron los meses y Dash no se comportaba como si le gustara, así que solamente pensé que habían sido imaginaciones mías. Creo que a todos nos pilló por sorpresa. Incluso a Tate.

—Si las cosas entre Tate y tú fueran mal, me lo contarías, ¿verdad? —preguntó ella—. Sabes que haría lo que fuera por ayudarte.

Los ojos de Chessy se inundaron de tristeza otra vez y ella se maldijo por haberle cambiado el humor de esta manera. Otra vez. Ella y su bocaza. Tendría que empezar a cambiar esa parte insidiosa de su personalidad. Sus amigas no se lo merecían. Merecían algo mejor. Merecían la persona en la que Kylie esperaba convertirse.

—Gracias por la oferta, cariño, pero no me iré a ningún

lado y Tate tampoco. Lo ataré a la cama si es necesario, aunque es cierto que el que me ata a la cama es él.

Sonreía con la mirada y le brillaban los ojos. Kylie suspiró aliviada al ver que su humor mejoraba.

Kylie esbozó una sonrisa maliciosa.

—De acuerdo, pues te voy a contar algo. Así no podrás acusarme de que siempre me lo guardo todo para mí después de contártelo. Pero como se lo cuentes a alguien, ¡te mato!

—¿Qué? —preguntó Chessy—. Esto tiene que ser buenísimo si te pones así de seria.

Se echó a reír.

—Te vas a reír. Yo no pude en aquel momento porque estaba aterrorizada, pero ahora… Tengo que reconocer que es muy gracioso, sobre todo en vista de como es Jensen.

—¡Va, no me hagas sonsacártelo! —gruñó Chessy—. ¡Suéltalo ya!

—Está bien, pues Jensen quería que trabajara con él en un contrato. Eso me dejó boquiabierta. Solo llevo la oficina, no me meto en la relación con los clientes. Solo quería mi opinión y se tomó mis sugerencias muy seriamente. Entonces, insistió en que lo acompañara a la reunión. Quedamos en el Capitol Grill antes para repasar la propuesta final.

—¿Y? —preguntó su amiga, que se inclinó hacia delante, muy interesada.

Ella hizo una mueca.

—Me entró el pánico. Perdí los estribos. Vi a alguien que me recordó a mi padre. Ahora me muero de vergüenza, pero para mí era real. Era como si lo estuviera viendo de verdad. Estaba en una mesa cercana a la nuestra y se me fue la cabeza. Me desmoroné y tuve un ataque de pánico en toda regla.

—Oh, cariño. Lo siento mucho —dijo ella con el rostro contraído.

—Entonces, Jensen se preocupó muchísimo y entró en modo macho alfa protector.

—Vale, para un momento y deja que me deleite con esa imagen —la interrumpió Chessy, estremeciéndose como si lo experimentara de verdad—, porque es demasiado buena para no imaginármela.

Kylie se echó a reír.

—En aquel momento no me di cuenta, pero sí, es impresionante verlo en plan protector. No es el típico tío en el que me fijaría, la verdad, pero tengo que reconocer que me hizo sentir... a salvo.

Chessy sonrió.

—Conozco bien esa sensación. Tate hace lo mismo conmigo. Me siento segura, como si nada pudiera hacerme daño. Como si pudiera hacer lo impensable para no permitir que me pasara nada malo. ¿Y qué más? Continúa. ¿Qué pasó después?

—Me llevó a casa. Iba a darle las gracias, desearle buenas noches y retirarme a mi habitación a morirme de la vergüenza, pero él insistió en quedarse. Bueno, no solo en quedarse, sino en dormir en mi cama.

Chessy abrió desmesuradamente los ojos.

—Joder. ¿Follasteis?

Kylie negó con la cabeza.

—No, esto es lo divertido, aunque en aquel momento no lo fue. Al menos ahora puedo reírme de ello.

—Soy toda oídos.

—Fue muy amable y comprensivo. Y esa manera de mirarme... Es como si entrara en calor, ¿sabes?

—Sí, lo sé.

—Me dijo que lo esposara a la cama para que me sintiera segura con él. Para que viera que no podía hacerme daño.

Chessy estuvo a punto de atragantarse con el té que acababa de tomar. Dejó la taza en la mesa y se quedó boquiabierta.

—¿Y lo hiciste?

Ella asintió.

—Joder —dijo Chessy con la voz algo entrecortada—. No me hubiera imaginado nunca a ese tipo cediendo el control. Y aún menos a una mujer. No sé, me parece tan dominante como Tate y Dash, ¿sabes?

Kylie asintió.

—Ya, ya lo sé. Me quedé patidifusa, pero tambіén me aterraba no saber qué hacer. En parte, quería que se largara para acurrucarme en la cama, taparme con el edredón y morir de vergüenza. Y en parte, no quería que se fuera, pero me daba miedo tenerlo en la cama conmigo.

Su amiga la miró con aire comprensivo.

—Es alucinante que se ofreciera a hacer algo así. Es decir, se quedó en una situación de vulnerabilidad por ti, para que te sintieras segura, y eso es increíble.

—Sí —dijo ella en voz baja—. Pues nada, vino a la cama, completamente vestido y yo con mi pijama de abuela. Le esposé una mano porque me parecía menos incómodo. Me sentía tremendamente avergonzada al ver que solo podría dejar que un hombre durmiera en mi cama si lo tenía esposado e indefenso.

—No te avergüences nunca si necesitas sentirte segura, cariño.

Ella resopló.

—Bueno, pues nos quedamos dormidos, pero entonces tuve una pesadilla sobre mi padre. Ver a alguien que se le parecía tanto y tan de cerca en el restaurante trajo todos los recuerdos de vuelta. Al momento oí que Jensen me llamaba. Me decía que me despertara, que estaba a salvo. Y no sé… Supongo que me asusté porque me eché a sus brazos, solo que aún tenía una mano esposada a la cama y lo único en lo que pensaba era que quería que me abrazara con los dos brazos. Así pues, le quité las esposas y me abrazó. Me abrazó y me dijo que durmiera, que nada podría hacerme daño, que nunca lo permitiría. Y así fue como pasamos la noche durmiendo juntos. En cuanto estuve en sus brazos, pude dormir como nunca.

Chessy sonrió.

—Eso es maravilloso, Kylie. Parece muy buena persona, así, tan atento y cariñoso. ¿Qué más se puede pedir? El tío es guapísimo, es muy hombre y muy protector. Además, hizo grandes concesiones para que te sintieras segura. Te puso a ti y a tus necesidades por delante de las suyas y no hay muchos hombres que estén dispuestos a hacerlo.

—Lo sé —dijo ella en voz baja—. Y la cosa es, Chessy, que me siento segura con él. No puedo explicarlo. Es el tipo de hombre que debería aterrarme. Es el típico tío del que huiría y, a pesar de todo, tiene esa manera de mirarme y de comportarse cuando está conmigo que hace que me derrita. Es ridículo.

—No lo es —rebatió Chessy—. Me parece que tienes a un ganador. ¿Entonces mañana sales con él?

—Bueno, quería quedar esta noche, pero le dije que salía a cenar contigo, así que lo cambió al sábado. Luego estará de viaje de lunes a miércoles. Supongo que eso me dará el tiempo suficiente para pensar en nuestra cita y ver qué hago con mi vida y si me he vuelto loca o no —añadió con cierto arrepentimiento.

—¡Tendrías que haberme llamado! —exclamó su amiga—. Podríamos haber dejado la cena para otro día.

Ella negó con la cabeza enérgicamente.

—No. Las amigas son lo primero y, además, me tenías preocupada. Sé que te sientes sola, sé cómo es eso. No quiero que te sientas así siempre. Tú eres lo primero.

—No eres tan cascarrabias y fría como te defines —dijo Chessy con firmeza—. Tienes el corazón más grande que nadie que conozca. Como te oiga menospreciándote otra vez te voy a dar una paliza. Te quiero por pensar en mí, pero en un futuro, si tienes la oportunidad de salir con un espécimen alfa exquisito como Jensen, cambiamos el día de la cena. Podemos quedar en cualquier otro momento. Es maravilloso que salgas con hombres. Ya es hora, estás preparada. Necesitas hacerlo por ti, para demostrarte que no todos los tíos son unos capullos.

Kylie no podía sentir más amor por su amiga. Echaba de menos a Joss y tenía muchísimas ganas de que volviera, aunque sabía que era egoísta porque estaba de luna de miel y debería disfrutar al máximo de esos días. Las quería mucho, a las dos. Eran muy buenas amigas y sus mejores apoyos desde que muriera Carson. Las únicas personas que la habían ayudado a conservar la cordura y que le habían dado un motivo para vivir.

Ellas no lo sabían. Tal vez nunca supieran lo mucho que dependía de ellas. No se imaginaba la vida sin ellas.

—Lo intentaré —dijo Kylie sinceramente—. Estoy cansada de ser una cobarde. Y esconderme del mundo. Tal vez Jensen sea mi hombre, tal vez no, pero por lo menos es una oportunidad para trabajar en mi coraje.

—Esa es mi chica —dijo Chessy—. Y sabes que quiero conocer todos los detalles más jugosos el domingo. Si no me llamas, me presento en tu casa, pero por la tarde. Ya sabes, por si Jensen se queda a dormir otra vez.

Le hizo un guiño al decirle lo último y Kylie puso los ojos en blanco.

—No nos adelantemos a los acontecimientos —le espetó—. Recuerda que tuve que esposarlo a la cama para que pudiera dormir en mi cama. Estoy tan loca que no me extrañaría que me quedara sin sexo una buena temporada.

A Chessy se le encendió la mirada.

—A riesgo de parecerte desleal, apuesto por Jensen. Apuesto a que acabáis acostándoos antes de lo que crees.

—Vaya, gracias —murmuró Kylie.

Pero al mismo tiempo, la esperanza se despegaba en su interior como una flor en primavera. ¿Podía llegar a más con Jensen? ¿Era posible que fuera él quien lograra traspasar sus barreras? Que no se derrumbara de solo pensar en eso ya decía mucho. Que estuviera anticipando el hecho en cuestión decía mucho más.

Diez

$\mathcal{K}$ylie se frotó las manos en los vaqueros para secárselas. Miró su reflejo en el espejo para ver cómo estaba. Qué tontería. Era ridículo que una cita la pusiera tan nerviosa.

Las mujeres tenían citas. La gente en general también. Ahora parecía que tenía una y era algo normal en el mundo, salvo que su mundo y el resto del mundo eran dos cosas completamente distintas. En su mundo ella no salía con chicos. No buscaba una relación ni la atención de los hombres.

Sin embargo, ahora parecía que sí salía y sí intentaba captar la atención de Jensen.

No sabía si ese giro en su universo la molestaba o le gustaba más. Por un lado, tenía muchas ganas de pasar esa velada con Jensen. Le encantaba su compañía y lo cómoda y segura que se sentía con él. ¿Quizá lo usaba porque solo le daba seguridad? ¿Se acobardaría en cuanto las cosas se volvieran más íntimas?

Porque dudaba muy sinceramente que él solo quisiera ser una fuente de seguridad y sosiego. Era un hombre. Un hombre increíblemente atractivo. Pues claro que querría sexo en algún momento. Algo le había dejado caer. La cuestión sería ver lo paciente que era.

Ella no se oponía, en teoría, a la idea de acostarse con él. Le gustaba la idea, pero más aún el hecho de ser capaz de tener una relación física con él. Ser capaz de superar el pánico que le provocaba semejante idea.

Así que, de hecho, sí significaba que lo estaba usando y por los motivos equivocados.

...rró los ojos, deseando no ser tan analítica. ¿Importa por qué lo quería a su lado? ¿Importaban los motivos si al final acababan en la cama? Para la mayoría de los hombres, los motivos estarían al final de su lista. Querían sexo. Por lo menos la mayoría de los hombres del planeta. Eran las mujeres las que se ponían quisquillosas y analíticas por los motivos.

Jensen la deseaba y eso se lo había dejado claro. ¿Pero qué quería exactamente? ¿Cuánto? ¿Se contentaría con ese alivio físico? ¿Con sexo y ya está? ¿O tal vez querría más, algo que no pudiera darle?

La cabeza le daba vueltas y se estaba volviendo tarumba por una simple cita. Se había cambiado cuatro veces de ropa, y cada vez le parecía más descarada, como si buscara su aprobación. ¿Pero qué mujer no querría estar guapa para una cita? Sobre todo para un hombre como Jensen que desbordaba sensualidad solo con respirar.

Al final, se había decantado por unos vaqueros y una camiseta cómoda. Algo normal y no muy desesperado. Quería que pareciera como si estuviera cómoda con él, lo que no sería ninguna mentira porque se sentía así con él ahora, aunque no lo hiciera al principio. Sin embargo, todo eso cambió la noche que pasaron juntos.

La confianza, algo que no le daba a cualquiera, se forjó la noche que la tuvo abrazada durante sus pesadillas y le ofreció su calor. En parte, reconocía que este hombre no le haría daño. Su mente protestaba, acostumbrada al instinto de supervivencia. Su corazón, por otro lado, le había brindado rápidamente su confianza, de modo que le tocaba a su cerebro determinar si había perdido la poca cordura que le quedaba.

Sonó el timbre que la hizo entrar en acción. Se miró nerviosamente en el espejo por última vez, satisfecha por parecer... normal. Y entonces fue a abrir.

Jensen ocupó todo el umbral en cuanto abrió la puerta. Se le antojaba enorme: alto, musculoso y fuerte. Para su alivio, él también vestía de un modo informal. Llevaba unos vaqueros desgastados que se le pegaban al cuerpo; inmediatamente le dieron ganas de echarle un vistazo al culo para ver cómo le quedaban. Y se había puesto una camiseta que se le ceñía a los músculos del brazo y del pecho.

Si ya pensaba que estaba muy atractivo con traje, verlo con tejanos y camiseta era enloquecedor. ¿En serio estaba babeando por él? No se creía capaz de sentir atracción física por un hombre. Y ahí estaba ella, comiéndoselo con los ojos y teniendo pensamientos lascivos.

No sabía que podía sentir algo así.

En lugar de tener miedo, se vio embargada por una sensación desconocida de... optimismo. Le ofreció la mejor de sus sonrisas y le hizo un gesto para que entrara. Llevaba dos bolsas de la compra y una botella de vino debajo del brazo.

—Deja que te ayude —se ofreció ella.

—No. Lo dejaré en la cocina y me pondré manos a la obra. Eso sí, me encantaría que me hicieras compañía.

Kylie lo siguió y se sentó en uno de los taburetes altos mientras él sacaba las cosas de las bolsas.

—¿Qué tenemos en el menú? —preguntó algo tímidamente.

—Pollo a la australiana —contestó—. ¿Has oído hablar de él?

Ella negó con la cabeza.

—Entonces te llevarás una grata sorpresa. Básicamente, es pechuga de pollo al horno con una salsa de miel casera y con beicon, setas y queso. Nada puede fallar con esa combinación.

Contempló su hermosa sonrisa y la absorbió como el adicto que consigue su droga. Tenía ese efecto desconcertante sobre ella. Le preocupaba acabar demasiado dependiente de él, de necesitarlo demasiado. Nunca se había considerado una persona pegajosa, todo lo contrario. Evitaba las relaciones y cualquier vínculo con alguien que no fuera de su círculo inmediato de amigos. Pero empezaba a darse cuenta de lo dependiente que podría volverse de Jensen y eso la asustaba. No quería que nadie más salvo ella tuviera control sobre su felicidad.

¿Pero era realmente feliz?

Hasta ella se sabía la respuesta. No era infeliz, aunque tampoco era feliz. Simplemente… existía. Repetía las acciones y los movimientos. Era como si viviera con el piloto automático. ¿No era hora de que despertara y empezara a vivir? ¿A vivir de verdad?

—Pues suena delicioso —dijo con voz áspera.

Él volvió a sonreír y a ella se le cortó la respiración. Ay, Dios, estaba ahí como una boba, deseándolo. ¡Ella! Respiró hondo, saboreando la novedad de esas sobrecogedoras emociones. Emociones que había refrenado toda la vida. ¿Pero qué le pasaba? ¿Lo había estado esperando? ¿Era él quien lograría traspasar sus barreras y conseguir que superara sus miedos?

—¿Cómo fue la cena con Chessy? —preguntó mientras se preparaba para cocinar.

Jensen sirvió dos copas y le pasó una. Ella la cogió y se la acercó a los labios, inhalando el olor. Apenas bebía y cuando lo hacía era con sus amigos. El alcohol la incomodaba porque estaba demasiado familiarizada con su lado oscuro. Siempre que podía, evitaba a la gente que bebía demasiado.

—Fue bien —dijo después de darle un sorbito—. Está sola. Tate está demasiado ocupado con el trabajo.

Él levantó la vista y la miró con los ojos escrutadores.

—¿No es feliz?

Ella hizo una mueca. No tendría que haber dicho nada. Se sentía la peor amiga del mundo al traicionar la confianza de Chessy, pero algo en su expresión la pilló por sorpresa e hizo que se relajara. Sin embargo, parecía que se le desataba la lengua cerca de él y que le contaba cosas que nunca le diría a nadie.

—No voy a traicionar tu confianza, Kylie —dijo en voz baja—. Solo estamos hablando. Nada más. No tienes que preocuparte, no me meteré en la relación de nadie. Además, Tate y yo somos conocidos, solo nos unen las circunstancias más que una amistad real. Sin embargo, me caen bien él y Chessy y me sabe mal que sea infeliz.

—Soy yo la que la traiciona —murmuró ella—. Por algún motivo que desconozco, te estoy soltando todo esto.

—Eso no es malo —observó él, mirándola pensativamente. Si hubiera visto un destello de triunfo en sus ojos le hubiera molestado, pero solo era consideración—. Me gustaría que te sintieras capaz de contarme lo que fuera —prosiguió.

Ella suspiró.

—Tate está muy ocupado y Chessy se siente sola. Comprendo esa sensación, pero a diferencia de mí, ella no está acostumbrada. Es extrovertida y vital. Necesita estar rodeada de gente y necesita pasar más tiempo con Tate del que pasa ahora.

—¿Y él sabe cómo se siente? —preguntó—. Por lo que he observado las pocas veces que he estado con ellos, diría que el hombre besa el suelo por donde ella pisa. La mayoría de los hombres, al saber que su mujer es infeliz, removerían cielo y tierra para corregir el problema. Pero si no lo sabe…

—No lo sabe —dijo ella—. Ella no se lo ha dicho directamente, vaya. Está en una postura delicada porque cree que, de decirle que es infeliz, él sentiría que le ha fallado. Hace un tiempo comentamos que quizá le estaba siendo infiel, pero no quiso decírselo porque sabía que si le contaba esas dudas se abriría una brecha en su relación que sería difícil de salvar. No quería darle motivos para pensar que no confiaba en él. Solo quiero que sea feliz. Me duele verla tan triste. Me entran ganas de darle un pescozón a Tate y preguntarle si se da cuenta de lo que le está haciendo a su esposa.

Jensen hizo una mueca.

—Eso no parece una situación muy agradable. Estar preocupada y no poder contar sus miedos. Yo prefiero una comunicación más abierta. No querría que ninguna mujer tuviera miedo de contarme las cosas.

Había algo entre líneas que iba dirigido a ella. Lo sabía. No estaba hablando de Chessy y Tate. Hablaba de ellos dos. Le estaba diciendo que no tuviera miedo de contarle nada.

—Por algún motivo a mí no me pasa eso contigo —dijo, algo azorada—. De hecho, diría que me pasa lo contrario. Se ve que no puedo dejar de parlotear. No suelo ser tan chismosa.

—Entonces me lo tomaré como un cumplido —dijo él con una expresión sincera—. Me gusta la idea de que estás lo bastante cómoda conmigo para decir lo que piensas. Espero que eso sea el principio de la confianza entre los dos.

—Confío en ti —susurró ella—. No tengo idea de por qué. Dios sabe que no confío en nadie. Pero por algún motivo me siento a salvo contigo y eso me asusta un poco.

Él dejó de hacer lo que estaba haciendo, rodeó la barra y se acercó a ella. Le dio la vuelta al taburete hasta que la tuvo enfrente y le tomó la cara con ambas manos. Los ojos de ella brillaban intensos mientras la miraba. Pensó que iba a besarla y eso hizo, aunque no dónde ella esperaba.

Le acercó los labios a la frente y ella cerró los ojos de puro placer ante ese gesto tan sencillo.

—Estás a salvo conmigo, Kylie —dijo mientras se apartaba, pero sin dejar de tocarla.

Con el pulgar le rozó los labios, labios que ella creía que le besaría.

—Puede que no te creas otra cosa, pero créete esto. Estás absolutamente a salvo conmigo y no solo me refiero físicamente. Estás a salvo en todo porque pienso protegerte de cualquier cosa que pudiera hacerte daño.

—¿Por qué yo? —espetó—. No lo entiendo. Y no lo digo para que me halagues, Jensen. Es una pregunta sincera. No te hace falta buscar mucho para encontrar compañía femenina. Podrías tener a cualquier mujer que quisieras. ¿Por qué te intereso yo? ¿Tienes idea de en lo que te estás metiendo?

Su sonrisa era tan tierna que hizo que el corazón le diera un brinco y se acelerara.

—Sé exactamente en lo que me meto —murmuró—. Y en cuanto a por qué tú, no sabría responderte. Algunas cosas simplemente pasan. Y para mí, esa eres tú. Veo más allá de la imagen que transmites al mundo, veo a la mujer que hay debajo: esa es la que yo quiero.

—Somos muy distintos —añadió, inquieta—. Aunque tú eres igual de controlador que yo. No tengo ningún trastorno obsesivo-compulsivo, pero me gusta que las cosas estén de una determinada manera. Las necesito de cierta forma. Con dos controladores en una relación, esta está abocada al fracaso.

Él siguió sonriendo con una mirada cálida. No parecía desalentado por su preocupación.

—Te entiendo más de lo que crees —dijo en voz baja—. No soy una amenaza para ti. Por la mujer adecuada, no tengo ningún problema en renunciar al control. Lo que quiero no tiene nada que ver con la sumisión física.

Esas palabras la desconcertaron. Hablaba como si fuera un dominante igual que Dash y Tate. Y tal vez lo fuera, con lo que el interés que sentía por ella era más difícil aún de explicar.

—¿Eres dominante? —susurró—. No me lo respondiste cuando te pregunté hace unos días si eras como Tate y Dash. Me dijiste que tú eras tú, y no ellos, pero eso no era lo que quería saber. ¿Te gustan las mujeres sumisas? ¿Te gusta dominarlas?

—Prefiero a las sumisas, sí —contestó con tranquilidad—. Hasta que te conocí, diría que era el único tipo de relación que me satisfacía.

Se le aceleró el corazón, que le latía con fuerza en el pecho.

—Has dicho que lo que querías no tiene nada que ver con la sumisión física. ¿Eso qué quiere decir?

Le pasó la mano por el pelo y luego volvió a acariciarle el rostro.

—Quiere decir que nunca usaría los aspectos más físicos de la dominación y la sumisión contigo —contestó—. ¿Lo he hecho alguna vez? Sí, he estado en relaciones de dominación y sumisión con algunas mujeres donde he empleado los componentes físicos que a veces acompañan ese estilo de vida. Pero nunca te pediría algo que no puedas dar. Así pues, cuando digo que lo que quiero no tiene nada que ver con la sumisión física, lo que quiero en realidad es tu entrega emocional.

—No sé qué significa —dijo en voz baja—, pero da miedo. Tal vez mucho más que la entrega física.

Él asintió con solemnidad.

—Es mucho más fuerte. Una mujer puede dar su cuerpo, pero no compartir nunca su alma o corazón. Eso es una victoria bastante vacía. Sin embargo, una mujer que se entrega emocionalmente al hombre que tiene su bienestar en sus manos es algo valiosísimo. Y eso es lo que quiero de ti, Kylie. Tu entrega emocional. Tu confianza, tu corazón. Tu alma.

—Vaya —susurró ella—. Qué poco pides.

Él soltó una carcajada; un sonido que retumbaba desde su pecho. Entonces volvió a besarla en la frente.

—Ya llegarás ahí, cielo. Solo respira. No lo analices tanto. Respira, déjate llevar y solo piensa que estás conmigo.

Casi se cayó del taburete cuando la soltó para seguir cocinando. Tenía el pulso acelerado y estaba algo mareada. La embargaba una sensación de euforia que acabó con todas sus preocupaciones.

Tomó un reconfortante sorbo de vino e intentó que no se le notara lo nerviosa que estaba.

Al cabo de unos minutos, Jensen abrió el horno e introdujo la cazuela. Puso el temporizador y se dio la vuelta.

—Tomemos otra copita de vino en el salón mientras esperamos a que acabe de hacerse la cena.

Ella saltó del taburete con cuidado para no caer de cara. Se notaba algo tonta a su lado, como una adolescente que se pirra por el *quarterback*. Claro que, ¿qué sabía ella de esos sentimientos? Nunca los había experimentado antes porque no se lo había permitido.

Él la esperaba al final de la barra con la mano extendida. Sus dedos se entrelazaron; a Kylie le encantó la firmeza de su tacto. Entraron al salón y se detuvieron ahí con las manos aún entrelazadas.

Al rato, él levantó la mano para darle un beso en la cara interna de la muñeca y luego bajó las manos, todavía unidas.

—La cena estará lista en media hora. ¿Quieres que empecemos a ver la película ahora o nos esperamos y la vemos entera después de cenar?

—Podemos esperar —contestó ella con la voz entrecortada—. Nos sentamos un rato tranquilos y esperamos.

—Me parece bien —dijo él reposadamente.

La acompañó al sofá y al sentarse tiró suavemente de ella para que se sentara a su lado.

Estaba fuera de su elemento y lo sabía. No tenía ni idea de mantener conversaciones almibaradas. ¿Qué tenía que decir? ¿O se pasarían el rato mirándose en silencio?

Ella lo miró de reojo, en busca de alguna pista, pero parecía contento de estar simplemente a su lado en silencio. Pasaron unos minutos que se le antojaron interminables; cada segundo se volvía todo más incómodo.

—Quizá deberíamos esperar en la cocina —dijo ella a modo de evasiva, incómoda con el silencio que reinaba.

Él la miró con una mirada indescifrable. No era cálida como a las que estaba acostumbrada. Era escrutadora sin más. ¿Había metido la pata sin saberlo? Odiaba todo eso. Seguro que había reglas o algo así.

—Mira, eh, deberías saber que esto se me da fatal —dijo ella débilmente.

A él se le iluminó la mirada.

—Respira, Kylie. Como te he dicho antes, no pasa nada. Podemos volver a la cocina si vas a estar más cómoda. ¿Por qué no pones la mesa y yo le echo un vistazo al horno?

Aliviada por tener algo con lo que acabar con la incomodidad, se levantó y fue a la cocina. Jensen le puso una mano en el hombro para detenerla justo al llegar a la encimera.

—Relájate, ¿de acuerdo?

Su voz era amable y tan suave como su tacto. Dejó caer los hombros y se dio la vuelta.

—Lo siento —murmuró—. Ya te he dicho que esto se me

da muy mal. No sé qué es lo que tengo que hacer. No suelo salir con nadie y no sé cómo funciona esto.

Él le puso otra mano en el hombro y la acercó para abrazarla. Acomodó su cabeza bajo la barbilla y se quedó un buen rato abrazándola. La desconcertaba que una cosa tan mundana como un abrazo de este hombre tuviera el poder de tranquilizarla.

—Funciona como nosotros queramos que funcione —le dijo con calma—. No tienes que cumplir ninguna expectativa, Kylie. Solo quiero pasar tiempo contigo, comer y disfrutar de tu compañía. Y ya está. Nada más.

Ella gimió.

—Soy idiota. Puedes decirlo.

Él se echó a reír y le dio una palmadita en el trasero.

—Ve a poner la mesa, anda, y deja que termine mi obra maestra.

Empezó a sacar platos y cubiertos, cogió otras copas de vino y puso la botella abierta encima de la mesa mientras Jensen sacaba la cazuela del horno.

Olía que era una maravilla y el queso deshecho formaba deliciosas burbujas encima del beicon y el pollo. Le rugió el estómago al ver cómo lo colocaba encima de la mesa.

—Tiene una pinta estupenda. ¿Hay algo que no sepas hacer? Eres como Superman o algo. Seguro que no hay nada que se te resista.

Él fingió pensar en lo que acababa de decirle y luego sonrió de oreja a oreja.

—Imagino que te tocará a ti encontrarme los fallos. Y créeme, la lista es larga, como ya habrás podido suponer durante este tiempo que nos conocemos.

Kylie se maravillaba por lo distinto que parecía con ella. Más relajado y no tan… reflexivo. Ya lo creía antes, pero ahora se había cerciorado. Era bueno para ella, sin duda. Demasiado, ¿quizá? Pensarlo la hacía sentir mejor.

—Creo que no empezamos con buen pie —reconoció ella con cierto pesar—. Debo reconocer que me equivocaba contigo. No eres tan ogro como pensaba.

Él arqueó una ceja mientras servía los platos.

—¿Tan ogro? ¿Aún hay sitio para algo de ogro según tu análisis?

Ella sonrió por el tono serio con el que se lo había preguntado.

—Eso está por ver, pero te concederé el beneficio de la duda.

—Vaya qué generosa es esta mujer para la que estoy cocinando.

Kylie sonrió aún más; la incomodidad de antes había desaparecido. Ya empezaba a parecer una cita de verdad. Dos personas flirteando y a punto de comenzar algo nuevo. Ay, madre, una relación, incluso.

Bueno, tenía que dejar de pensar en eso o le entraría otro ataque de pánico. Se centró en el plato que tenía delante y que olía increíblemente bien, y le metió mano con cuchillo y tenedor.

El primer bocado fue un placer para las papilas gustativas. Estaba condimentado a la perfección, estaba muy tierno, la mostaza casera de miel era maravillosa y ¿qué decir del beicon y el queso? Es bien sabido que ponerle beicon y queso a la comida es garantía de éxito.

—Esto está increíble —dijo al tiempo que tragaba el segundo bocado—. Un hombre con tu aspecto y que sabe cocinar... No concibo que todavía estés soltero.

Captó el rápido destello en sus ojos antes de que desapareciera. Ahí había habido algo. Una sombra. Un recuerdo. Un punto débil, seguro, a juzgar por ese brillo delator. Pero se esfumó casi de inmediato y lo reemplazó esa cálida sonrisa que tanto le gustaba.

—Quizá es que estoy esperando a la mujer adecuada para sentar la cabeza —repuso él con picardía—. Hay que ser quisquilloso cuando se trata de escoger a la persona con la que uno quiere pasar el resto de su vida.

—Qué gran verdad —murmuró—. No podría estar más de acuerdo. O, en mi caso, sería mejor decir que no tengo deseos de escoger a esa persona.

Él se la quedó mirando un momento y dejó de comer. Esa mirada intensa y penetrante le decía que estaba llegando a su corazón, como si pudiera leerle la mente y extraerle hasta el último secreto. Ese escrutinio la hacía sentir vulnerable y no le gustaba nada. Sobre todo porque le había reconocido lo segura que se sentía con él cerca.

—¿Entonces no quieres encontrar a tu hombre? Sentar la cabeza, tener una familia, enamorarte. Y no necesariamente en ese orden, eh. El amor suele llegar antes y luego el resto, pero los tiempos han cambiado. Esto de las relaciones ha perdido un poco el sentido.

—Parece que estemos en un *talk show* de esos —dijo con una mueca.

Él se rio.

—Y vuelves a evitar la pregunta. Siento ponerme tan filosófico, pero me fascinas y me he propuesto como objetivo conocerte. Saber qué te gusta, qué te hace feliz. O, mejor dicho, qué hace falta para que seas feliz.

Ella parpadeó, sorprendida.

—¿Y por qué te preocupa eso? Técnicamente es nuestra primera cita. No creo que pienses aún en todas esas cosas.

Jensen se encogió de hombros.

—Nunca se sabe cuándo aparecerá la mujer de tu vida. Hay que estar preparado. Además, como ya te he dicho, me fascinas. Eres una incógnita que aún no he logrado despejar.

Ella suspiró.

—No hace falta ser un genio para darse cuenta de que tengo más problemas que un libro de matemáticas. Ya conoces mi historia, o al menos los puntos principales. Los detalles sórdidos no hacen falta. Estoy segura de que entenderás por qué no tengo una cola de pretendientes y por qué no me como la cabeza por no haber encontrado a mi alma gemela a la tierna edad de veinticinco años. Supongo que si ocurre alguna vez, ya tendré tiempo para entenderlo todo. De momento me concentro en vivir. Sobrevivir. Ir día a día. Gracias a esto he podido llegar hasta aquí. Si algo no está roto, no lo toques.

—Tanto cinismo y pragmatismo en alguien tan joven es asombroso —observó—. Lo dices como si tal cosa, como si no te molestara, pero hay algo ahí… Tal vez, los demás no lo vean, pero yo sí. Quieres esas cosas, Kylie, solo que no has reunido el valor suficiente para ir a por ellas. Tampoco te reconoces a ti misma que tienes necesidades, como todo el mundo.

—¿Tienes una carrera en psicología o algo? —le preguntó con los ojos entrecerrados—. Porque te juro que ahora mismo pareces un loquero.

Él soltó una carcajada y levantó las manos como si se rindiera.

—No, no. Son observaciones de mi vida y de mis experiencias con la gente.

—Con las mujeres, querrás decir —murmuró.

—Eso también —dijo, sin inmutarse por su corrección.

—¿Y con cuántas has estado? —le espetó. Vaya, otra vez. Había vuelto a soltarle lo primero que se le había pasado por la cabeza y eso la hacía quedar como una arpía celosa. Para subsanar la metedura de pata, se apresuró a corregir la frase—. Me refiero a mujeres sumisas. ¿Todas tus relaciones han sido con el estilo de vida del dominante sumiso?

—No llevo la cuenta —dijo secamente—. Tampoco tantas como para necesitar un catálogo. Ya te he dicho alguna vez que no voy acostándome con la primera que se me pone a tiro ni me he tirado a mil. No soy tan cabrón. Ha habido sexo sin compromiso, sí. He tenido relaciones también. Más de cinco, pero menos de doce.

Ella parpadeó, asombrada,

—¿Y cuántos años tienes?

—Treinta y cinco. Pareces sorprendida. ¿Por qué?

Ella negó con la cabeza.

—La mayoría de solteros de treinta y cinco han estado con muchas más de doce. Me ha sorprendido, ya está. No te estoy juzgando ni criticando ni nada. Tenía curiosidad por tus parejas. Si te gusta salir con mujeres sumisas, ¿por qué terminaron esas relaciones?

—No eran mi media naranja —dijo sin más.

Esa respuesta la dejó perpleja.

—¿Y cómo lo sabrás cuando la encuentres?

Entonces él sonrió y su mirada volvió a adquirir ese calor característico; le infundía placer cada vez que la miraba así.

—Lo sabré.

Ella resopló con cierta exasperación. Este hombre la volvería loca. Más de lo que ya estaba. Era poco claro; sus palabras siempre iban cargadas de dobles sentidos. Como si se estuviera perdiendo alguna insinuación. Tal vez, fuera capaz de leer entre líneas, pero era demasiado cobarde para reconocerlo.

—¿Entonces crees en el amor y todo lo que conlleva? ¿Lo de la confianza, la fidelidad y la lealtad eterna?

—Pues claro. ¿Tú no?

Parecía verdaderamente confundido al oírla hablar de un tema tan importante con tanta despreocupación. Kylie suponía que era importante para las demás, pero no para ella. En su opinión, el amor era una palabra de cuatro letras y no necesariamente buena. Había visto las muchas manifestaciones del amor en su vida y no le convencía el concepto, ni aunque sus dos mejores amigas estuvieran tan felices que daban asco y enamoradas hasta las trancas de sus maridos. Veía la infelicidad de Chessy y sabía que el amor no era la panacea y que, de hecho, era una complicación. No era algo que quisiera sufrir.

Querer significaba renunciar a la parte esencial de sí misma: su confianza. Algo así no se daba a la ligera. Amar a alguien significaba volverse vulnerable. Era poner el bienestar de uno en manos de otro. Gracias, pero no. Había visto lo mal que lo pasó Joss cuando Dash y ella lo estaban pasando mal en su relación. Veía los estragos del amor en los ojos de Chessy. Había visto el dolor que causaba la palabreja. Amor.

Al darse cuenta de que Jensen esperaba una respuesta a su pregunta, negó con la cabeza.

—No digo que no crea en el amor. Está claro que Joss

ama a Dash y a la inversa. Quería a Carson y Carson también la quiso. Y aunque sé que ahora Chessy es infeliz, soy consciente de que ama a Tate y que él la quiere a ella. Pero el amor es caótico y complicado. Parece mucho más fácil y seguro evitar ese tipo de implicación emocional.

—Eres una cínica de tomo y lomo —murmuró—. Hasta ahora no me había dado cuenta. Vas a ser un hueso duro de roer, cielo, pero estoy preparado. Nunca me he echado atrás y no pienso hacerlo ahora.

Ella lo miró con incredulidad. Lo que ella acababa de decirle había conseguido que salieran pitando los demás hombres con los que tenía la intención de salir. Pero a Jensen no le disuadían sus problemas. Al contrario, se le veía más dispuesto aún a romper ese muro que ella se había construido. Un muro que llevaba allí toda su vida adulta y gran parte de su infancia.

Había aprendido a una edad muy temprana a proteger su mente, su cordura. A bloquear el mundo que la rodeaba y permanecer en modo supervivencia. Hasta ahora le había ido bien, pero también le había impedido tener relaciones porque ¿quién quiere salir con semejante chiflada y aún menos comprometerse con ella?

Kylie bajó la vista al plato, sorprendida de verlo vacío, y luego miró a Jensen, que también se lo había comido todo. ¿Y ahora qué? Volvía a sentir la incomodidad de no saber qué pasaría a continuación.

La película. Había traído una película. El plan era cenar y ver una peli. Fácil. Podía con eso.

—¿Listo para la película? —preguntó, orgullosa de tomar la iniciativa—. Pondré los platos en el fregadero y los lavaré después. ¿Por qué no vas poniendo la peli y yo traigo unas copitas de vino? A menos que prefieras otra cosa…

—El vino va bien. Tu compañía es lo que prefiero. Todo lo demás es un extra.

Maldita sea. ¿Qué puede contestar una a eso? La seducía con sus palabras y esa sonrisa sincera, amable y capaz de derretir el más frío de los corazones, que tan a menudo le dedicaba. Ni siquiera había intentado meterse debajo de sus faldas, que ella misma se las estaba levantando ya.

Asqueada por sus hormonas desbocadas —¿por qué habían escogido ahora para asomar su fea cabecita?—, recogió los platos y les dio un agua antes de dejarlos en el fregadero para después.

Se tomó un ratito para recobrar la compostura y tranquilizarse un poco. Solo era una película. «Nena, por favor, controla esos nervios».

Sirvió dos copas de vino, aunque no tenía intención de beberse la suya. Ya había llegado a su límite y lo último que quería era tener la cabeza embotada. Jensen lo conseguía solo. No hacía falta alcohol, aunque el coraje que daban las bebidas espirituosas le resultaba tentador.

Cuando entró en el salón, Jensen estaba recostado en el sofá, tan cómodo como si estuviera en su casa. Tenía el mando a distancia en la mano y había pausado la película al principio. Ni siquiera sabía qué iban a ver. ¿Importaba? Dudaba de que recordara gran cosa después.

Él le tendió la mano, no por el vino, sino para cogérsela cuando dejara las copas en la mesita de centro. Ella dejó que sus dedos se entrelazaran con los suyos y la acomodara a su lado en el sofá.

—Muy bien. Mucho mejor —murmuró él—. Ahora, ya puede empezar la noche.

—¿Qué vamos a ver? —preguntó.

—Una peli de esas de apocalipsis zombi —dijo con una mueca—. En su momento, me pareció una buena idea. Tuve que ir con cuidado a la hora de elegir para que no te hicieras ninguna idea por la elección o de mis intenciones.

—¿Entonces debería preocuparme de que me muerdas y me infectes con una cepa virulenta de un virus letal? —preguntó con sequedad.

Él soltó una carcajada.

—Me gusta tu sentido del humor. Encaja bien con el mío. Aunque algunos dirían que ninguno de los dos tiene sentido del humor. Creo que nos complementamos bien.

Se le encendieron las mejillas porque no, nadie le había dicho que tuviera sentido del humor, fuera retorcido o no.

Jensen apoyó un brazo en el respaldo del sofá, una invitación para que se acercara más a él. Kylie dudó al principio, no quería que se le notaran las ganas, pero sin querer se sentía atraída por la calidez y la fuerza de su cuerpo.

Pronto estuvo acurrucada a su lado; él tenía un brazo encima de sus hombros y la acariciaba de tal forma que se le ponía la carne de gallina. Su tacto era puro fuego incluso a través de la ropa. Intentó centrarse en la película, pero la distraía lo cerca que estaban el uno del otro.

En un momento, ella se volvió para mirarle y lo sorprendió observándola con unos ojos brillantes, cálidos y tranquilizadores. Se acercó a él, sin darse cuenta siquiera de lo que hacía. Él hizo lo mismo y sus labios se rozaron.

Kylie notó como si le pasara la corriente. Se estremeció incontrolablemente y luego él intensificó el beso; le acarició los labios con la lengua.

Sabía al vino que acababan de beber. A vino y a algo distinto, algo embriagador, masculino. No lograba identificarlo pero le gustaba. Y mucho.

Suspiró mientras él la abrazaba y la hacía girar mejor para que la postura fuera más cómoda sin dejar de besarla. Su boca, hambrienta, la devoraba sin cesar.

Se perdió en una cascada de sensaciones que la abrumaba; era algo placentero, cálido y tranquilizador al mismo tiempo. Le dolían los pechos, apretados contra su torso. Se le endurecieron los pezones, que le sobresalían como si reclamaran su atención. Y su boca.

Estupefacta por haber tenido semejante pensamiento, se quedó inmóvil; el fuerte latido del corazón de Jensen le repiqueteaba en el pecho. Respiraba rápidamente; su aliento le acariciaba la boca y el rostro entero.

Entonces él la recostó en el sofá y se puso encima, ejerciendo cierta presión. Al momento entró en pánico; empezaban a resurgir los recuerdos oscuros de su pasado, abriéndose paso hasta el presente.

Perdió todo sentido y razón. Perdió la consciencia de quién era y con quién estaba. Lo único que sabía era que estaba en peligro inminente. Su fuerza la abrumaba. Se sentía indefensa, débil e incapaz de evitar lo que fuera que iba a hacerle.

La oscuridad la engulló, arrebatándole toda sensación de euforia y de seguridad. El pecho le prendió fuego mientras intentaba respirar desesperadamente, pero no encontraba aire. Quiso gritar pero tenía un nudo en la garganta. Quería rogarle que parara, que tuviera piedad, que no le hiciera daño.

Entonces, apareció su instinto de supervivencia y empezó a luchar. Enloqueció bajo su depredador; solo quería escapar del daño que iba a hacerle. Empezó a arañarle, a dar patadas y por fin consiguió recobrar el aliento y gritó.

La histeria se apoderó de ella. No era consciente de las manos que le sujetaban las muñecas para inmovilizarla y que no le hiciera daño a él o a sí misma. De la voz que la llamaba y que le decía que no pasaba nada, que todo iba bien.

A duras penas era consciente de esas cosas, le parecían muy lejanas. Solo pensaba en sobrevivir y en no volver a soportar lo que ya había tenido que soportar antes.

Las lágrimas le empapaban la cara. Fue consciente entonces de un lamento agudo. Dios, era ella quien profería ese ruido tan horrible. ¿Por qué no podía parar?

—¡Kylie! ¡Kylie! Escúchame. Soy yo, Jensen. Estás a salvo, cielo. Por favor, vuelve en ti. No te haré daño, nunca te haría daño.

El salón daba vueltas como si estuviera en un tiovivo. Tenía unas fuertes náuseas. Se incorporó de repente y notó que ya no tenía las muñecas inmovilizadas.

Luego, se hizo un ovillo para protegerse las partes más vulnerables: las costillas, el estómago, zonas en las que podría sufrir lesiones más fácilmente. Se notaba las mangas de la camisa mojadas y se dio cuenta de que estaba sollozando. Eran unos sollozos enormes y silenciosos que salían de lo más profundo de su ser.

A tientas, una mano le tocó el hombro y ella se dio la vuelta, decidida a protegerse de un posible ataque.

—Kylie, por favor, soy yo. Venga, mírame. Mírame.

El tono preocupado y suplicante de Jensen atravesó la neblina. El pánico se fue disipando y al final se quedó con una sensación de humillación y de desesperación miserables. Se sentía rota. Rota. Incapaz de arreglarse a sí misma. Nada volvería a estar bien. No para ella. Nunca.

Hundió el rostro entre sus brazos y se balanceó hacia delante y hacia atrás, demasiado avergonzada para mirarle siquiera. Pensaría que estaba muy loca. Lo sabía, mejor dicho.

—Vete, por favor —le rogó con la voz amortiguada por los brazos—. No puedo soportarlo. Lo siento. Vete, por favor. Lo siento.

—Joder, no lo sientas. No te disculpes por esto —le espetó él, furioso.

La rabia de su voz la hizo recelar de nuevo, pero se arriesgó a echarle un vistazo rápido para calibrar su humor y prepararse para la violencia que estaba a punto de llegar.

Sin embargo, él estaba sentado algo más lejos, casi como si quisiera poner una barrera entre ambos. Una barrera que ella misma había construido. Mierda, ¿cuándo dejaría de asustarse así? ¿Alguna vez tendría una vida normal? ¿Acaso era pedir demasiado?

Volvió a sollozar; las lágrimas se desbordaban y caían a mares por las mejillas.

—Dime qué puedo hacer para ayudarte, cielo —le imploró. Parecía desesperado y tan desolado como ella.

—No es culpa tuya —dijo ella entrecortadamente—. Soy yo. Lo siento, soy yo. Tú no has hecho nada malo.

—Claro que sí —le espetó—. Lo que he hecho ha sido una estupidez. Me he dejado llevar. Eso ha sido culpa mía y no tuya. Joder, Kylie, lo siento muchísimo.

Ella levantó la cabeza y empezó a sacudirla casi violentamente; las lágrimas seguían resbalándole por la cara.

—No —dijo casi sin aliento—. No es culpa tuya. Vete, por favor. Quiero estar sola.

Jensen parecía indeciso. Estaba claro que no quería dejarla en ese estado, pero tampoco quería que se alterara más.

—Estaré bien —dijo ella en un intento de tranquilizarlo—. Estaré bien. Vete. Lo he fastidiado todo.

—No quiero dejarte así —dijo con una voz cargada de rabia—. Yo te he hecho esto. Te he recordado a él y antes prefiero morir a hacer que te sientas así conmigo. No lo concibo.

Kylie agachó la cabeza, que apoyó en sus brazos otra vez; la tristeza la consumía. Jensen había sido amable y gentil con ella. Había sido muy comprensivo. Y ella se lo había pagado haciéndolo sentir como si fuera un capullo y un maltratador. Como si fuera su padre. Mierda, ¿por qué no podía controlar sus reacciones? ¿Por qué tenía que asustarse en cuanto las cosas pasaban a otro nivel?

—¿Kylie? —tanteó en un tono vacilante, inseguro.

No podía mirarlo. No, sabiendo lo que le había hecho sentir. Negó con la cabeza.

—Jensen, vete, por favor. —Las palabras salieron de sus labios con tristeza—. Eso es lo que puedes hacer por mí. Y, por favor, no te culpes por lo que ha pasado. No es por ti. Tú has sido amable y paciente conmigo. Me muero de vergüenza y solo quiero estar sola.

—Eso es lo último que necesitas —dijo él resoplando de la frustración.

Levantó la vista y lo vio pasándose una mano por el pelo, nervioso. Parecía indeciso, un estado que nunca asociaría con él. Era un hombre muy seguro de sí mismo.

—Por favor —susurró ella—. Vete. Estaré bien. Ya he lidiado con esto antes.

Esa frase aún lo cabreó más.

—No tienes por qué lidiar con esto sola. Pero si lo estoy empeorando, me iré. No es lo que quiero, pero, por ti, lo haré. Eso no quiere decir que me guste o que esté de acuerdo.

Con los ojos vidriosos, ella consiguió esbozar una sonrisa temblorosa.

Jensen dudó, como si no supiera si tocarla o limitarse a decirle adiós. Al final se levantó del sofá con la derrota escrita en la mirada. Le dolía haberle hecho eso, haberle hundido en su miseria.

Eso debería servirle de lección. Una muy dura, pero muy buena a la vez. No era capaz de mantener una relación normal y sana con nadie. Era idiota por haber soñado, aunque fuera un instante, que era posible.

Once

*J*ensen entró en el coche y le dio un golpe al volante de lo frustrado que se sentía. ¡Joder! Iba contra sus principios dejar a Kylie en ese estado. Solo el hecho de saber que su presencia lo empeoraba todo, que se sentía humillada y que no hacía más que contribuir a su malestar, lo convenció para marcharse.

Lo único que quería era volver a entrar ahí y abrazarla la noche entera, aunque eso significara pasarla esposado a su cama.

Le destrozaba haberle recordado un momento así de su pasado. Que dar el paso le hiciera asociar los abusos a manos de un monstruo le resultaba desgarrador.

Verla tan pálida y asustada, rota y desesperada, le había reabierto viejas heridas. Los recuerdos que había reprimido volvían a la superficie y le hacían sentir tan indefenso como cuando era niño y veía cómo maltrataban a su madre sin poder hacer nada, y cómo recibía él la rabia de su padre si trataba de intervenir.

No, ella no era la única que tenía demonios contra los que luchar, pero era evidente que no había encontrado la manera de enfrentarse a ellos. A diferencia de él, Kylie seguía anclada al pasado. Este seguía vivo en su cabeza como si todo hubiera pasado ayer.

¿Cómo diantre iba a acabar con eso? ¿Cómo podía ganarse su confianza? ¿Y por qué era tan importante para él conseguirlo?

Kylie era una mujer que no le convenía, pero que, al

mismo tiempo, era perfecta para él. Era completamente distinta a las otras mujeres con las que había estado. Era frágil, delicada, y estar con ella significaba reprimir todo lo que le hacía ser quien era.

¿Valía la pena?

Supo la respuesta en cuanto formuló la pregunta. Sabía que ya se había convencido de que valía muchísimo la pena. Pero, por primera vez, el fracaso parecía una posibilidad y no estaba acostumbrado a fallar en nada. No desde que era pequeño.

Aún en el coche de Kylie, cogió el móvil y buscó el número de Chessy Morgan en sus contactos. Le dio a llamar y se acercó el teléfono a la oreja, esperando a que contestara; rezando para que lo hiciera.

—¿Chessy? —dijo cuando respondió una voz femenina—. Soy Jensen Tucker, el socio de Dash —añadió rápidamente para que no pensara que era un vendedor telefónico y le colgara.

—Hola, Jensen.

Era una voz simpática y recelosa a la vez, como si estuviera intrigada por el motivo de su llamada. No la culpaba. Solo se habían visto una vez, aunque Dash le había dado los números de Tate y de Chessy por si había algún problema mientras él estaba fuera.

—Ya sabes que Kylie y yo teníamos una cita hoy —dijo sin rodeos—. No ha ido bien. Nada bien.

—Oh, no —dijo ella, apenada—. ¿Qué ha pasado? ¿Está bien?

—No. No está bien —contestó él muy serio—. Se ha puesto histérica, luego humillada y avergonzada. Ha insistido en que me vaya, pero no puede estar sola ahora. He pensado que quizá podrías venir a ver cómo está. No me gusta dejarla así, pero tampoco quiero contribuir a su malestar.

—Claro. Muchas gracias por llamarme, Jensen. Ha sido un detalle que me llames. Ahora mismo voy. No le gustará, pero soy muy pesada y me quiere, aunque eso la cabree.

Él sonrió y parte de la presión se esfumó. Kylie estaría en buenas manos. Estaría con alguien que la quería y que no consentiría que la echara de ahí. No como él.

—Gracias —dijo Jensen sinceramente—. Estoy muy preocupado... Me... me preocupo por ella —añadió con cautela.

—Creo que eso es evidente —repuso ella—. Intenta no preocuparte. Te llamaré si las cosas no mejoran o empeoran.

Jensen le dio las gracias, colgó y puso el coche en marcha para no ceder a sus impulsos e irrumpir en su casa para cuidarla él mismo.

Pasó mucho rato hasta que se durmió. Y cuando al fin lo consiguió, volvieron las pesadillas que creía que había dejado atrás.

El pánico y el estrés de Kylie habían abierto una puerta que él mismo había cerrado con firmeza en el pasado. Volvió lo que había intentado olvidar con todas sus fuerzas, lo que había relegado al fondo de la mente para que no volviera a acosarlo de nuevo.

Le había dicho a Kylie que tenían mucho más en común de lo que ella creía, pero no quería que supiera hasta qué punto era así. No quería que cargara con eso. Nunca.

Se despertó en plena pesadilla. Dio un grito ahogado, empapado de sudor. Apretó los puños e intentó golpear a un intruso invisible. Alguien que no quería hacerle daño a él, sino a ella. Kylie había tomado su lugar y el de su madre en sus pesadillas y la indefensión le atenazaba, como hacía tantos años cuando se veía obligado a ser un mero observador, incapaz de evitar que su padre les hiciera daño a los dos.

Solo que ahora era Kylie. Estaba herida, lloraba, y él se veía tan impotente como entonces. Una vulnerabilidad que se juró que nunca volvería a sufrir.

Se hizo a un lado, con la respiración entrecortada e irregular; las imágenes seguían grabadas a fuego en su memoria y no podía seguir durmiendo. ¿Qué estaría haciendo ella ahora mismo? ¿Estarían torturándola sus sueños también? ¿Tenía esperanza alguno de los dos? ¿O estaban demasiado hechos polvo para poder construir unos cimientos sólidos?

Estar con ella era un infierno, pero estar sin ella era aún peor. Pero si le hacía daño... Cerró los ojos para evitar la oscuridad, la violenta espiral que le daba vueltas en la cabeza.

Se maldijo por tener que irse al día siguiente, pero al mismo tiempo lo agradecía. No quería estar tanto tiempo separado de ella, no saber cómo estaba: si comía y dormía. Si se cuidaba como era debido. Pero también le vendría bien el descanso. Tal vez era lo que ambos necesitaban. No era lo que él quería, pero quizá sí lo que necesitaba.

Un descanso. Como si fueran una pareja de toda la vida en una relación donde uno o los dos necesitan dar un paso atrás para ver las cosas con perspectiva. Sin embargo, no eran una pareja: solo habían tenido una cita oficial.

La pregunta era si ella les daría —y le daría a él— otra oportunidad o si Jensen había fastidiado la posibilidad de tener algo especial con Kylie. Eran almas gemelas, almas heridas en busca de consuelo. Ella era el bálsamo para sus sentidos, para esos oscuros recuerdos que esperaban agazapados bajo la superficie. ¿Y él? ¿Le iría bien a ella?

Volvió a sentir náuseas al pensar que su roce la había hecho pensar aunque fuera momentáneamente en el cabronazo que había abusado de ella. Le entraban ganas de vomitar literalmente.

—No me daré por vencido contigo, Kylie —susurró—. Aunque nunca te haya tenido de verdad. No puedo largarme aunque sea eso lo que me pidas.

Cerró los ojos pensando en su promesa, para recordarla y repetirla como si fuera un talismán.

Los cuatro próximos días serían los más largos de su vida. Pero ¿y cuando volviera? Volvería con Kylie y costara lo que costara, se enfrentarían juntos a sus monstruos.

Doce

$\mathcal{K}$ylie cerró los ojos para tranquilizarse antes de volver a centrarse en el montón de memorándums que tenía delante. Aún oía la reprimenda de Chessy: no quería que volviera a trabajar el lunes. Ni el martes. Ahora ya era miércoles y tal vez su amiga se habría dado cuenta de que era imposible obligarla a quedarse en casa porque no la había llamado por la mañana como los otros días, ni había ido a convencerla para que no fuera a trabajar.

Debería consolarla que Jensen se preocupara hasta el punto de llamar a Chessy para que fuera a verla a casa, que no quisiera que estuviera sola, pero que su amiga la viera en su peor momento la humillaba aún más. Chessy había insistido en pasar la noche con ella y estaba allí cuando se despertó gritando en plena noche por culpa de una pesadilla. Joder, que alguien la viera de esa guisa la ponía enferma.

Le sobraba con que Jensen hubiera presenciado dos colapsos ya.

Abrió los ojos, aunque los papeles seguían moviéndose. Le dolía muchísimo la cabeza, consecuencia de las noches sin dormir. En lugar de descansar, se había obligado a permanecer despierta porque no quería tener pesadillas. Estaba a salvo siempre y cuando no durmiera y pudiera controlar sus ideas, sus recuerdos. Su pasado la atormentaba únicamente cuando dormía.

Al final tendría que dormir y para entonces esperaba estar tan cansada que el cuerpo se le apagara solo y pudiera dormir sin soñar.

Si era sincera consigo misma, reconocía que echaba de menos la presencia de Jensen en la oficina. Sin él, todos estos días que había estado fuera, la oficina le parecía más grande, más silenciosa e incluso intimidante. No se había dado cuenta hasta ahora de lo segura que se sentía cuando él estaba al fondo de la sala. O en su despacho, molestándola.

Imaginaba que fuera lo que fuera lo que había pasado entre Jensen y ella, o lo que fuera que él quisiera, era imposible ahora. Seguramente mantendría las distancias, ¿y quién podía culparlo? ¿Quién quería tratar con una lunática?

Miró el reloj de pared deseando que pasaran las horas. No para volver a casa y a la soledad —y evitar a Chessy y sus preocupaciones—, sino porque contaba las horas que faltaban para el regreso de Jensen.

Mañana. Lo que significaba una noche más de esforzarse al máximo para permanecer despierta. Se notaba el cansancio en las venas, le cargaba los hombros y le volvía la cabeza pesada y embotada.

Apoyó la cabeza en la mesa, sobre el montón de papeles que tenía que clasificar. Solo cerraría los ojos un ratito. Solo necesitaba eso.

Suspiró y cerró los ojos poco a poco, pero los volvió a abrir al oír la puerta de su despacho. Levantó la cabeza de repente, algo de lo que se arrepintió al momento. La estancia empezó a dar vueltas en el mismo instante en que vio a Jensen, en el umbral, con una expresión seria.

Se le aceleró el corazón y se avergonzó al mismo tiempo por el alivio que la invadió al saber que había vuelto. Un día antes. Estaba aliviada, pero se sentía muy débil.

—¿Pero qué diantre te has hecho? —le preguntó con una voz ronca por la preocupación—. Joder, Kylie, ¿has dormido mientras estaba fuera?

Ella se incorporó, a la defensiva, mientras apretaba los puños sobre la mesa.

Empezó a decir que se encontraba bien y que no era

asunto suyo cuando, de repente, el despacho se oscureció a su alrededor y tuvo que volver a sentarse.

Oyó cómo Jensen soltaba un improperio junto a la puerta —que ahora le parecía muy lejana— y, sin saber cómo, se vio en el suelo.

Su último recuerdo consciente fue ver a Jensen llamándola, preocupado. Pero la oscuridad la envolvió, arrullándola con su silencio, y ella se dejó llevar porque en ella encontraba la paz. Por fin. Jensen estaba ahí. Estaba a salvo. Ahora podía descansar.

Jensen la cogió entre sus brazos, se la acercó al pecho y comprobó que respiraba. Imaginaba que había estado trabajando hasta la extenuación y seguramente ni siquiera había dormido durante todo el tiempo que él había estado fuera, pero no podía saberlo.

Sus exhalaciones suaves y el leve subir y bajar de su pecho templaba su humor y su preocupación.

Tenía un aspecto horrible y a pesar de todo era la mujer más hermosa que había visto nunca. Las ojeras siempre marcadas de forma permanente bajo sus ojos. Le parecía que tenía la cara más fina y contraída. Si pensaba que parecía frágil antes, ahora aún más.

Había llegado a ese punto álgido, ese punto que tanto temía. Y ahora le tocaba a él involucrarse, asumir el mando y asegurarse de que recibía los cuidados que necesitaba.

Se incorporó y cargó con su peso pluma. Sin importarle salir del despacho sin echar la llave, la llevó al aparcamiento y la dejó en la parte trasera de su coche. Cuando se cercioró de que estaba cómoda, se sentó al volante y encendió el motor. Salió del aparcamiento lo más rápido que pudo teniendo en cuenta la seguridad.

Solo tenía una dirección en mente: su casa, y no la de ella. Esta vez no. La llevaría donde sabía que podía mantenerla a salvo, donde podría asegurarse de que descansaba y recibía los cuidados que necesitaba. Y evidentemente no dejaría que fuera a trabajar en lo que quedaba de semana.

Él podría trabajar desde casa y apagar todos los fuegos que surgieran. Como conocía a Kylie y sabía lo eficiente que era, se había asegurado de que todo lo demás estuviera ya bien atado. El resto se podría pudrir. Dash volvía a casa el fin de semana y podía asumir el control el lunes por la mañana. Si dependía de él, Kylie no haría nada durante unos días. Y eso intentaría.

Kylie había tocado fondo y le dolía pensar que él la había empujado al borde. Le horrorizaba, seguía teniendo un nudo en el estómago por haberle recordado heridas antiguas. Le sacaba de quicio. Solo quería enmendar su error, costara lo que costara. Y solo había una manera de hacerlo.

Tenía que empujarla un poco, pero de un modo distinto. Solo quería cuidarla, dejar que se apoyara en otra persona, algo que estaba convencido de que no había hecho nunca. Era una figura solitaria, un reflejo de él en muchos aspectos. Dos almas solitarias y heridas. Tal vez, juntos pudieran sanarse.

De alguna manera, tenía que romper sus barreras, seguir el camino a su corazón y a su alma y demostrarle que podía confiar en él, que podía apoyarse en él porque nunca le haría daño. Ahora mismo en su cabeza no tenía cabida el sexo. Eso podía esperar. Para siempre si era necesario.

Esto no iba de sexo o de hacer el amor. No podía mentir y decir que no la deseaba, que no se pasaba las noches despierto anhelando hacerle el amor. Pero no estaba preparada. Cuando llegara el momento, él sabía que tendría que hacer algo que no había hecho con ninguna otra mujer.

Ceder el control.

No era un pensamiento muy cómodo. Le hacía sentir... vulnerable. Pero por muy vulnerable que se sintiera, la emoción que sentía por Kylie era muchísimo mayor. Por ella, podría y haría el mayor de los sacrificios. Valía la pena. Lo sabía en el fondo de su ser.

Algunas cosas tenían que pasar y con él y Kylie era así. Lo supo en cuanto la conoció. Ella había sido incapaz de mirarlo a los ojos. Estaba inquieta cuando él andaba cerca, y con razón. Pero su fragilidad y, a la vez, el núcleo de hierro que veía; la determinación y la fuerza que albergaba a pesar de lo frágil que parecía, le llegaban al alma.

Esta mujer estaba hecha para él y esperaba estar hecho para ella.

Nunca había creído mucho en el destino, pero en cuanto la vio se dio cuenta de que ella era su destino. Lo malo era saber si él sería el suyo.

Llegó al camino de entrada a su casa y salió del coche a toda prisa, abrió la puerta: Kylie seguía inconsciente, tumbada en los asientos traseros. Se preguntó de nuevo si había dormido en su ausencia. Necesitaba llamar a Chessy. Solo le había dado un toque, a la mañana siguiente, y esta le había contado que había pasado la noche con Kylie, y que se había despertado gritando por las pesadillas.

Cerró los ojos un instante al recordar el dolor de esa conversación telefónica. Saber que le había hecho eso, que la había presionado demasiado y demasiado pronto. Había sido descuidado al no preguntarle más a Chessy cómo estaba, pero el sentimiento de culpa le había impedido volver a llamar. Había sido un imbécil. No volvería a cometer un error semejante. Nunca.

Esta vez dependería de ella. Estaría al mando de todo, salvo en cuestión de salud. Entonces él cogería las riendas sin dudar. No sentía ningún remordimiento por aquello en lo que se estaba embarcando. Kylie necesitaba a alguien y ese alguien sería él.

La cogió entre sus brazos, la llevó adentro y cerró con fuerza. Cruzó el salón y la llevó directamente al dormitorio, donde la dejó cuidadosamente sobre la cama.

Ni siquiera se movió cuando apartó las sábanas y la recolocó para que la cabeza descansara bien sobre la almohada. Le quitó los zapatos pero la dejó vestida. No iba a aprovecharse de su estado de indefensión; bastante se asustaría ya al despertarse en una cama ajena. No quería que se le pasara por la cabeza ni un momento que la había tocado siquiera.

La tapó con el edredón y le apartó con ternura los mechones de pelo de la cara.

Se quedó un buen rato mirándola y sintiéndose muy bien. Ella estaba bien en su cama. Y en su casa. Ella aún no lo sabía, pero era aquí donde más segura estaba. Donde él podría protegerla de lo que fuera que pudiera hacerle daño. Removería cielo y tierra para asegurarse de que se sintiera protegida.

¿Se habría sentido realmente segura con alguien que no fuera su hermano? Sabía que tenía buenos amigos, un círculo íntimo de personas, muy poquitas. Pero se preguntaba si alguna de ellas la conocía tanto. Si ella les había confiado sus más oscuros secretos y temores.

Todo lo que sabía de ella había sido a través de una tercera persona. Pero quería que Kylie confiara lo suficiente en él para compartir su pasado. No porque tuviera una curiosidad morbosa; lo que ya conocía le revolvía el estómago. Solo quería ganarse su confianza y ella no se la daría tan fácilmente.

Sin embargo, ya le había dicho que confiaba en él hasta cierto punto. Le había dicho algo azorada que le confiaba cosas que no solía explicarle a nadie más. Eso tenía que significar algo, ¿verdad?

Solo el tiempo lo diría. Era un hombre paciente cuando la recompensa valía la pena. No había alcanzado el éxito del que disfrutaba ahora siendo impulsivo ni impaciente. Y sabía que Kylie le supondría el mayor desafío de su vida. Así pues, adelante con la mayor prueba de paciencia y aguante.

Tendría que ser fuerte por los dos porque ella lo necesitaba de verdad. Y tal vez así él también pudiera acabar con sus demonios. Kylie suponía un reto en su estilo de vida y en su aspecto dominante, cosas que normalmente nunca dejaría en manos de ninguna mujer.

Ella necesitaba un tratamiento especial. Lo sabía. Era un territorio nuevo para él y sabía que sería difícil. ¿Para qué engañarse? Jensen necesitaba control, no es que lo deseara sin más. No era una rareza con la que disfrutara: era un componente necesario de su existencia y, a pesar de eso, estaba dispuesto a obviarlo sin dudar por esa frágil mujer que estaba tumbada en su cama.

Desconcertaba reconocer algo semejante. Sintió miedo porque, por primera vez en la vida, contemplaba dejar lo que consideraba más importante de todo: el control. No era algo que hiciese a la ligera. De hecho, no lo había pensado hasta ahora.

Amar era sacrificarse. Era comprometerse en serio.

¿Amor? ¿Era eso lo que sentía por Kylie?

Negó con la cabeza, confundido. No estaba seguro de lo que sentía por ella. Era demasiado pronto para estar enamorado. La relación era débil aún. De momento, se tenían una confianza incipiente que había ido aumentando, pero que tal vez se hubiera venido abajo con lo sucedido en su última noche juntos.

Estaba claro que sentía más por ella que por cualquier otra mujer. Eso sí tenía que reconocerlo. No obstante, no creía haber estado enamorado de nadie antes. Estarlo sería ceder el control y desatar sus emociones. Y nunca había contemplado esa opción. Hasta ahora. Hasta Kylie.

—Mierda —murmuró.

Estaba bien jodido. Y no era un camino de rosas precisamente. El camino que le esperaba era largo, tortuoso e incierto. Sería el mayor desafío de su vida y, al final, volvía todo a la primera pregunta: ¿realmente valía la pena?

Pero al volver a formular la pregunta, la respuesta seguía siendo la misma.

Sí, valía la pena. A saber por qué, pero así era. No podía dejarla sin más, aunque ese fuera el camino más fácil.

Estaba atorado, por decirlo de algún modo. Entre la espada y la pared, vaya. Su destino, su futuro, estaba en manos de esta delicada mujer y lo peor era que ella no tenía ni idea. No sospechaba que lo tenía tan angustiado.

Se masajeó la nuca; el cansancio empezaba a hacerle mella. Había terminado el trabajo en Dallas un día antes de lo previsto porque tenía ganas de regresar y ver con sus propios ojos cómo estaba Kylie. Ahora, se daba cuenta de que nunca debió marcharse, aunque el contrato fuera importantísimo para la empresa. Ella lo necesitaba y él le había fallado, igual que lo había hecho la última noche juntos.

Eso había terminado porque, de ahora en adelante, ella sería su preocupación principal.

Trece

$\mathcal{K}$ylie se despertó despacito del sueño pesado que aún la envolvía y se dio cuenta de que algo había cambiado. Curiosamente no le entró el pánico, sino una sensación de bienestar. Se sentía cómoda y segura.

Suspiró, tranquila, y se acurrucó entre los fuertes brazos que la rodeaban como la más gruesa de las mantas.

—¿Estás despierta?

Ella parpadeó, sorprendida, y encontró una mirada cálida que le resultaba muy familiar.

¿Jensen?

Se esforzó por recordar lo que había pasado. ¿Dónde estaba?

—No te asustes, cielo. Estás a salvo. Estás conmigo.

Su murmuro de consuelo la tranquilizó, pero frunció el ceño.

—Te desmayaste en el despacho. ¿Te acuerdas?

Enfocó algo más la mirada y se dio cuenta de que estaban en la cama, juntos. Y que no era su cama.

Kylie se incorporó como pudo, sorprendida por la fuerza que tenía que hacer con los brazos para una acción tan simple.

—Cuidado. No te muevas muy deprisa —le advirtió—. Ve despacio. Respira, ¿de acuerdo?

—Estoy bien —susurró—. Solo estoy confundida. ¿Dónde estamos?

—En mi casa. Te traje porque me tienes muy preocupado. ¿Cuándo dormiste por última vez? Llegaste al límite de tus fuerzas. Suerte que estaba yo allí cuando pasó.

Ella miró alrededor y captó el aire masculino de la habitación: los muebles, los colores y la enorme cama que compartían. Estaba acurrucada a su lado con las piernas entrelazadas.

Inmediatamente miró hacia abajo y la alivió saber que iba vestida. Seguro que se acordaría si hubieran hecho el amor.

Él le levantó la cabeza con un dedo en la barbilla y la miró con sinceridad.

—No ha pasado nada, cielo. No me aprovecharía de ti en ese estado. Te desmayaste en el despacho, te traje a casa y te acosté. Has dormido dieciséis horas seguidas.

Ella puso los ojos como platos, primero asustada y después aterrorizada.

—¡Ay, mierda! ¡Tendría que estar trabajando! ¿Qué hora es?

Él entrecerró los ojos e hizo un mohín.

—No te emociones. No te acercarás a la oficina. Lo que tienes que hacer es quedarte aquí y descansar todo lo que no has descansado. No levantarás un dedo siquiera en los próximos días y no, no es negociable.

Ella no tenía nada que decir, al parecer. ¿Cómo podría? Lo miró estupefacta. ¿Por qué estaba ahí? ¿Por qué no la había dejado y se había lavado las manos?

—¿En qué piensas? —murmuró con el ceño fruncido, concentrado.

—Me pregunto por qué estás aquí o, mejor dicho, qué hago yo aquí —le espetó—. No entiendo por qué no saliste disparado después de lo que pasó.

Su expresión se suavizó y le acarició el brazo hacia abajo, lentamente, hasta la cadera.

—No pienso irme a ningún sitio, cielo. Y de momento tú tampoco.

—Es imposible que quieras estar conmigo después de lo que pasó —susurró.

—Quiero y lo haré —repuso sin más—. Tendrás que esforzarte muchísimo más para asustarme y que huya despavorido. Lo nuestro es inevitable, Kylie. Yo ya lo he aceptado. Ahora tienes que hacerlo tú.

De pronto le entró calor por todo el cuerpo y, con él, alivio. Un alivio tremendo, alucinante y arrollador. Se recostó en la almohada; se quedaba sin fuerzas. ¿Por qué estaba tan aliviada? ¿No tendría que estar cabreada? ¿No debería discutirle eso? ¿No debería convencerle de que lo suyo no era posible y que la dejara en paz?

¿Qué quería decir que su única reacción ante semejante petición despótica fuera el alivio?

—Parece que cuando estás cerca solo sé asustarme y tener ataques —murmuró—. Debes de ser masoca para querer más.

A Jensen le brillaban los ojos.

—Lo superaremos juntos.

Su corazón se vio abrumado por un anhelo que no había sentido antes. Y por la esperanza, una esperanza genuina y sin trabas. No iba a renunciar a ella. Estaba aguantando carros y carretas, y eso que la había visto en su peor momento. Si soportaba eso, podría con cualquier cosa, ¿verdad?

No se había dado cuenta de lo mucho que deseaba algo así hasta entonces. Se había preparado para su rechazo. Sabía con total certeza que la dejaría igual que se dejan los malos hábitos después del numerito en la cita. Pero ahí estaba él con una determinación patente en sus hermosos ojos.

—Juntos —susurró ella.

La esperanza ardía también en sus ojos. ¿Estaba él tan convencido de que ella lo dejaría como a la inversa?

—¿Tienes hambre? —preguntó él—. Está claro que no has dormido desde que me fui, pero ¿a que tampoco has comido?

Ella trató de recordarlo, de traspasar esa bruma que nublaba sus últimos días.

—Interpretaré eso como un no —murmuró—. De acuerdo, quédate aquí quietecita. Ni se te ocurra salir de la cama. Tengo una camiseta y unos pantalones de chándal para que te cambies, pero ya está. Levántate lo justo para cambiarte si quieres, pero luego vuelve a acostarte hasta que te traiga algo de comer.

—Sí, señor —dijo ella secamente.

Él sonrió y le alborotó el pelo con cariño.

—Me gusta esa actitud, cielo.

Entonces Jensen salió de la cama y vio que él también iba completamente vestido. Le conmovió saber que lo había hecho para asegurarse de que ella no tuviera ninguna duda de lo que había pasado al traerla a su casa.

Ese hombre debía de tener más paciencia que un santo porque era evidente que estaba chiflada.

Ella lo siguió con la mirada mientras se alejaba y luego miró la ropa que le había dejado a los pies de la cama. Se sintió sucia y le apetecía darse una ducha, pero eso la metería en problemas porque él le había insistido mucho en que se quedara en la cama. Y, bueno, la sola idea de levantarse y ducharse la cansaba. Seguía exhausta y quedarse en la cama sonaba fenomenal. ¿Y lo de desayunar en la cama? Eso era aún mejor.

Se cambió a toda prisa porque no quería arriesgarse a que volviera y se la encontrara desnuda. Dejó a un lado la ropa de trabajo y se puso la camiseta y los pantalones, que eran muchísimo más cómodos.

Las prendas olían a él. Era casi tan bueno como cuando la abrazaba. Casi pero no igual, claro.

Volvió a meterse en la cama e inspiró hondo, gozando de su aroma en la almohada que tenía al lado.

Fue una ridiculez, pero cambió rápidamente su almohada por la de él, mirando hacia la puerta con culpabilidad para cerciorarse de que no la había visto. Quería su almohada, quería que la envolviera su olor.

Se recostó, cerró los ojos y disfrutó de la calidez y la comodidad de su cama, su almohada y su ropa. Él.

Al cabo de un momento, Jensen entró en el dormitorio con una bandeja. Ella se sentó rápidamente y se ahuecó la almohada en la espalda mientras él le ponía la bandeja delante.

Gofres y beicon. Perfecto.

—Tiene una pinta estupenda —dijo ella con la voz ronca—. Gracias.

Él se sentó en la cama a su lado, para estar codo con codo.

—Va, come —le instó—. No quiero que quede ni una migaja.

Ella sonrió mientras tragaba un bocado delicioso del desayuno.

—Reconócelo, te encanta darme órdenes. Es todo eso del rollo dominante que te va.

Él pareció sorprendido por la naturalidad con la que hablaba del asunto. A ella también la sorprendió y debería asustarla, como todo lo demás. Sin embargo, en el fondo sabía que este hombre nunca le haría daño a propósito. Puede que no supiera mucho más, pero de eso sí estaba convencida. Tal vez fuera una ingenua, pero se sentía a salvo con él. La había visto en sus momentos de mayor vulnerabilidad y no la había tratado con prepotencia ni superioridad. No había tratado de aprovecharse. La había tratado con sumo cuidado, como si fuera alguien valiosísimo, con una ternura que no lograba comprender pero que agradecía infinitamente.

—Con el tiempo comprenderás que tienes todo el poder por lo que a mí respecta —dijo con tono serio—. Y que yo no tengo nada.

Tragó saliva; la comida le había hecho un nudo en la garganta al oírlo. Todo él infundía autoridad, ¿pero le estaba diciendo que era ella la que tenía el poder? ¿Cómo era posible?

—¿Y eso qué quiere decir? —preguntó en voz baja.

Él la miraba con decisión, la intensidad era tal que notaba el calor en su rostro como si fuera un rayo de sol.

—Quiere decir que tú mandas, cielo. Pase lo que pase, depende de ti. Significa que cuando hagamos el amor, si lo hacemos, tú tendrás el control de todo y yo estaré a tu merced. Quiere decir que por lo que a ti respecta, no soy dominante ni tengo ningún deseo de serlo. Y que, en efecto, estoy a tus pies.

Vaya. ¿Cómo tenía que responder a algo así? La emoción se le agolpaba en la garganta y de repente le entraron ganas de llorar. No porque estuviera triste, sino porque estaba abrumada por la magnitud de lo que le estaba ofreciendo. No era un hombre que hiciera concesiones de este tipo a la ligera. Todo él emanaba masculinidad y control. Y a pesar de todo, por ella estaba dispuesto a suprimir su esencia.

No merecía este tipo de regalos. No se los merecía. Y que se lo ofreciera destruía cualquier muro que hubiera construido entre ambos. No tenía defensas para ese alarde de generosidad y desinterés.

—No sé qué decir —dijo ella entrecortadamente.

—Lo primero que quiero que digas es que te quedarás conmigo los próximos días. Deja que te cuide. Deja que me esfuerce por construir la confianza entre los dos.

—¿Y lo segundo?

—Quiero que le des una oportunidad a lo nuestro.

—¿Hay algo nuestro? —susurró.

—Quiero que lo haya —contestó con sinceridad—. Pero tú también tienes que desearlo. Con que lo desees la mitad que yo, ya será una buena manera de empezar.

Ella contuvo la respiración hasta que empezó a sentirse mareada y entonces, antes de tener tiempo para acobardarse y salir corriendo —como hacía en los demás aspectos de su vida—, decidió arriesgarse.

—Sí y de acuerdo. —Las palabras salieron a borbotones.

Él parpadeó.

—Sé un poquito más específica. Necesito saber a qué te refieres. Esto es demasiado importante para suponer o pensar que dices algo que no es.

Ella inspiró y soltó el aire poco a poco para tranquilizarse antes de que le diera otro ataque.

—Sí, me quedaré contigo; y de acuerdo, le daré una oportunidad a lo nuestro.

El alivio era tan evidente en su mirada que casi fue como un golpe en el estómago. No se había dado cuenta de lo mucho que él lo deseaba... la deseaba, mejor dicho. Era alucinante que hubieran pasado de enemigos a posibles amantes, o algo más que meros conocidos, vaya. Interiormente, no podía dar el salto a amantes porque la última noche seguía demasiado presente.

Le cogió la cabeza delicadamente con ambas manos para que lo mirara a los ojos. Le acarició los pómulos con los pulgares y luego agachó la cabeza y la besó con ternura. Luego le lamió el sirope de los labios en una pasada tan suave que le hizo ver hasta las estrellas.

Su cuerpo lo deseaba. Ahora solo tenía que hacerlo su mente. Su corazón estaba de acuerdo con su cuerpo, pero tenía que conseguir que su cerebro dejara de alarmarse cuando las cosas se calentaban.

Tal vez sí debería ir al loquero. Nunca había contemplado la idea, nunca había tenido una razón de peso para abordar esas cuestiones. Jensen se la daba ahora. Le daba esperanza, le daba muchas cosas que nunca creyó que querría.

—¿A qué te referías cuando has dicho que, esto…, si hacíamos el amor yo tendría el control? —preguntó con vacilación.

Él volvió a acariciarle la cara y le apartó el pelo mientras la miraba a los ojos.

—Me refiero a que si decidimos dar ese paso, me pondré en una posición vulnerable para que tú te sientas completamente a salvo. Haré lo que sea, pero, cielo, no tiene que ser ahora. No hace falta que sea pronto. Será cuando estés preparada para que suceda. No quiero que te sientas presionada para darme algo que no estás preparada para darme. Tenemos todo el tiempo del mundo.

—¿Y esperarías tanto?

Intentó que no se le notaran las dudas en la voz, pero sabía que había fracasado estrepitosamente. A pesar de todo, no parecía ofendido ni enfadado por su escepticismo. Al contrario, la miraba con ternura.

—Por la mujer adecuada, esperaría la vida entera.

Le salió como una promesa de lo más solemne. No había duda en su voz y su convicción parecía inquebrantable.

Ella sacudió la cabeza, estupefacta.

—No lo entiendo. No entiendo nada. He sido muy borde contigo. ¿Cómo puedo caerte bien siquiera?

Él sonrió y le puso una mano en el corazón.

—Porque pude ver más allá de las barreras protectoras y disuasorias, vi a la mujer que hay en ti y me gustó. No me engañaste ni un segundo, cielo. Puede que los demás sean más fáciles de engañar o bien no se dignen a mirar más que el exterior. Yo no soy así.

—Me gustas —reconoció ella—. Mucho, de hecho. Y sé que crees que no confío en ti, pero sí lo hago. No lo sabría explicar, pero me siento segura contigo y te cuento cosas que no cuento a los demás.

Él sonrió aún más.

—Me alegro de que te sientas segura conmigo, cielo, porque lo estás. Siempre, no lo dudes. Haré lo que esté en mi mano para tenerte a salvo, no solo físicamente, sino también emocionalmente. Y me honra que me hayas dado tu confianza. Es un regalo que no me tomo a la ligera. Me esforzaré para que no te arrepientas nunca de habérmela regalado.

Suspiró y se echó hacia atrás, con la mirada fija en él. Lo absorbía. Qué rápido se había convertido en su amuleto. Qué fácil le resultaba contarle cosas que no le había contado nunca a nadie.

—Te he echado de menos —admitió—. Contaba las horas y los minutos hasta que volvieras. No quise dormir después de aquella noche. Tenía demasiado miedo porque sabía que tendría pesadillas y no estabas allí. No me sentía a salvo.

Él recogió la bandeja y la dejó en el suelo a su lado. Entonces se volvió hacia ella, la rodeó con los brazos y Kylie apoyó la cabeza en su hombro.

—No tendría que haberte dejado —dijo en voz baja—. Siento haberte decepcionado, cielo. No volverá a pasar porque tú eres lo primero. Yo también te he echado de menos. Lo acabé todo antes de tiempo para poder volver a casa y estar contigo. Nunca he tenido a nadie a quien deseara volver a ver después de un viaje. Era una sensación agradable. Pero cuando te vi casi se me para el corazón. Me diste un buen susto.

—Lo siento —susurró—. Sé que puedo ser difícil. No quiero serlo, quiero ser mejor, Jensen. Puedo serlo contigo, lo noto. Por primera vez, siento que puede ir bien, que no tengo que seguir viviendo como hasta ahora. Da miedo y es emocionante a la vez. No reacciono muy bien a los cambios, como ya habrás notado.

—Somos el uno para el otro —dijo él—. Nos parecemos más de lo que crees. Te entiendo más de lo que piensas y con el tiempo tú me entenderás también.

—Eso quiero —repuso ella con sinceridad.

Levantó la cabeza para verlo.

—Una vez me dijiste que tú también tenías demonios. ¿Me lo contarás?

Jensen le cogió la mano y se la llevó a sus labios.

—Algún día, sí, pero ahora mismo no. No quiero fastidiar el momento, ahora que estás en mis brazos, que estamos juntos. Dejemos esa conversación para otro día.

Kylie no insistió porque sabía que si se lo contaba, ella también tendría que hacerlo y, al igual que él, no tenía ganas de arruinar la escena. Se recostó entre sus brazos y bostezó.

Él le acarició el pelo para tranquilizarla y que pudiera conciliar el sueño.

—Descansa, cielo. Tienes que recuperar horas de sueño. Te despertaré más tarde para comer y luego puedes estar despierta hasta la hora de cenar. Cenaremos aquí, veremos una película, lo que sea. Pero por ahora descansa, estás a salvo.

—Podría enamorarme de ti tan fácilmente, Jensen —susurró—. Y me asusta. Nunca le he permitido a nadie que esté en disposición de hacerme daño. No estoy segura de que me guste.

Le besó la cabeza.

—Establecer la confianza es eso. Cuando aprendas a confiar en mí del todo, la idea de quererme no te asustará tanto porque sabrás que nunca haría nada que pudiera herirte.

Catorce

*K*ylie observaba mientras Jensen se vestía para ir a trabajar el lunes por la mañana y la indecisión la consumía. Era un paso enorme en esto de establecer la confianza que tanto esfuerzo le costaba. El resto de la semana y el fin de semana pasados fueron... maravillosos. Los mejores cuatro días de su vida y no lo decía por decir. Sabía que no hacía falta mucho para mejorar su vida hasta ahora. Con eso no le quitaba mérito a Jensen, pero tenía que reconocer que había llevado una existencia bastante anodina hasta la fecha. Se movía, actuaba, pero no asumía riesgos, no vivía de verdad.

No hubo más ataques ni desmayos ni nada parecido a lo que sucedió en su primera cita. Jensen no la había presionado ni se le insinuó de ninguna manera. Sus interacciones se limitaron a besos afectuosos, nada pasionales ni de esos que cortan la respiración. También hubo abrazos y achuchones.

Le encantaban los abrazos. Podía parecer una tontería, pero su vida había carecido siempre de afecto. Sí, sus amigas eran cariñosas con ella, pero eso nunca había pasado con un hombre. Incluso Tate y Dash la trataban con sumo cuidado, nunca cruzaban los límites porque eran conscientes de sus «problemas».

Curiosamente, desde que Jensen la había llevado a su casa y habían dormido juntos todas las noches, las pesadillas habían desaparecido. En sus brazos dormía plácidamente y sin soñar. Eso le decía que estaba bien con él, que era como su amuleto. Aunque la idea de depender de alguien la asustaba antes, ahora ya no le importaba. Había conseguido algo mucho más valioso y que nunca se había permitido desear siquiera: paz.

Esa mañana se había despertado preparada para acompañar a Jensen al trabajo, pero él se negó en redondo y no hubo manera de hacerle cambiar de opinión. Dash volvía hoy a la oficina. Sabía que los dos habían hablado la noche antes y habían convocado una reunión para hablar de varios asuntos, uno de los cuales tenía que ver con ella.

No sabía qué pensar de que se negara a llevarla, que no fuera a trabajar. No estar allí cuando hablaban de ella. Sin embargo, Jensen le pidió que confiara en él, que se quedara en casa y estuviera allí cuando volviera del trabajo. Era importante para él y después de todo lo que había aguantado, le parecía una petición razonable.

Ojalá no estuviera tan nerviosa y preocupada por lo que los dos hombres iban a debatir, pero él le había dicho que se lo contaría todo a la vuelta. Quería salir a cenar con ella hoy, que tuvieran una cita real fuera de casa. Estaba segura de que era una prueba, pero se sentía segura de pasarla sin problemas. Aunque a saber lo que decidiría su cerebro llegado el momento. Había aprendido a confiar en Jensen pero aún no confiaba plenamente en sí misma. Todavía no.

Él terminó de anudarse la corbata y luego se volvió hacia ella, que seguía tumbada en la cama y con el pijama que habían ido a recoger a su casa, junto con otras prendas. Calculaba que se habría llevado ropa para un par de semanas. Le dijo que se llevara lo suficiente para unos días; parecía que no quería perderla de vista a corto plazo. Curiosamente, no se le disparaban las alarmas. Tal vez empezara a cogerle el tranquillo a esto de la confianza.

Él se acercó a la cama y se sentó, le cogió la mano y la atrajo hacia sí para abrazarla. La besó en la cabeza y luego le acarició la cara como tantas otras veces que al final lo interpretaba como una muestra de cariño muy suya, sobre todo cuando estaba serio o muy tierno.

—Sé que pido mucho —le dijo seriamente— y sé que

esto requiere mucha confianza por tu parte, pero confía en lo que voy a hablar con Dash hoy. Tengo que ponerlo al corriente de muchas cosas y tú aún tienes que descansar. La semana pasada acabaste exhausta y aún tienes ojeras, aunque tienes mucho mejor aspecto que cuando te desplomaste en el despacho.

—Vaya, gracias —dijo ella secamente—. Al menos ya no parezco una muerta, solo un zombi. Ahora me siento mucho mejor.

—Qué tonta —bromeó él—. Tengo que hablar de muchas cosas con Dash y prefiero hacerlo a solas. Prometí que te protegería y eso es lo que estoy haciendo. Confía en mí, ¿de acuerdo? Esta noche te lo contaré todo, hasta el último detalle. Te lo prometo. Quiero que te pases el día descansando, holgazaneando, que no hagas nada, vaya. Podrías ponerte al día con Joss, seguro que Chessy ya le ha contado todo lo ocurrido mientras estaba de luna de miel. Tendrán ganas de saber las últimas novedades, así que vete preparando. No os conozco desde hace mucho tiempo, pero sé que pueden llegar a ser brutales para protegerte, igual que a la inversa. Imagino que mientras estoy ocupado con Dash, se aliarán para interrogarte sobre mí.

Dijo eso último con una sonrisa arrogante, como si estuviera convencido de que todo lo que ella les contara fuera bueno. Y sí, claro que lo sería. En eso tenía razón. Sin embargo, no sabía cuánto más querría contarles por muy amigas íntimas que fueran. Había cosas que era mejor mantener en privado para saborearlas en secreto un poco más.

—¿Y Dash no se enfadará por las decisiones que has tomado en su ausencia? —preguntó nerviosa—. No quiero que tu relación laboral se resienta. Sobre todo por mí.

Le puso un dedo en los labios para callarla. Luego lo hizo con su boca, que besó con dulzura.

—Deja que me ocupe yo de Dash. Es un tipo razonable, si no, no haría negocios con él. Se lo expondré todo, seguro que está de acuerdo con la evaluación que hago yo de tus habilidades. No me cabe duda. Tendrás un ascenso, cielo, te lo garantizo. Y no será porque te lo dé yo: nuestra relación no tiene nada que ver con tus capacidades. Te has ganado a pulso lo que te vendrá, no lo dudes ni un instante. Los negocios son los negocios. Lo que hay entre tú y yo es estrictamente personal y no interfiere con lo profesional. No tomo decisiones laborales basadas en emociones.

Kylie, que se quedó tranquila con su razonamiento, asintió.

—Si al final sales, mándame un mensaje, ¿de acuerdo? No lo digo por controlar lo que haces o dejas de hacer. Solo me gustaría saber si estás bien. Si me necesitas para lo que sea, pero si no me llamas me voy a enfadar, que lo sepas. ¿Queda claro?

Ella sonrió. Le hacía gracia que se preocupara así.

—Queda claro.

Él volvió a besarla y se incorporó con una expresión de pesar en el rostro.

—No quiero dejarte. Los últimos días han sido geniales, pero por desgracia hay que volver al mundo real. Pero volveré a la hora normal. Si veo que me retraso, te llamaré para que sepas a qué hora llegaré. No te pongas muy elegante para cenar, iremos a un sitio cómodo.

—Suena fantástico —dijo en voz baja—. Qué ganas.

Él le acarició la mejilla por última vez y entonces se fue, la dejó sola con su ausencia.

La casa estaba demasiado en silencio, no se oía nada. Se había acostumbrado a su presencia. Habían pasado juntos cada minuto de los últimos cuatro días. Habían dormido juntos en su cama, ella con el pijama y él con camiseta y calzoncillos. Tuvo mucho cuidado para que no pareciera que la presionaba y eso solo la atraía más a él.

Le dijo que se imaginaba enamorándose de él y que temía estar ya a mitad de camino. Aunque tal vez ya lo estuviera del todo. Le costaba mucho separar la idea de independencia y amor verdadero. O tal vez una cosa fuera producto de la otra. ¿Quién sabe? Nunca había estado enamorada y no tenía ni idea de cómo era.

Pero si se trataba de ser feliz con su presencia y preferirla a la de cualquier otra persona, entonces sí, estaba enamorada. Su mente jodida era el único obstáculo que le quedaba por salvar: estaba acostumbrada a interceder y tomar todas las decisiones por ella. Llevaba tantos años viviendo con el instinto de supervivencia activado que no conocía otra forma de ser.

Quizás debiera dar el primer paso y hablar con Chessy y Joss antes de que lo hicieran ellas. Compartir esa parte de su vida que solía reservar, incluso entre amigas, sería un paso positivo en la dirección adecuada.

Ser más abierta podría ser parte de su «nuevo yo». Abrirse y compartir tanto como Chessy y Joss habían hecho con ella.

Le gustaba la idea y, aunque estaba nerviosa por materializarla, se levantó de la cama y buscó el móvil. Podría enviarles un mensaje. ¿Y si les proponía una comida? Qué triste era comprobar la poca experiencia que tenía a la hora de tomar la iniciativa: tardó cinco minutos en redactar el texto y otros cinco en armarse de valor para enviarlo.

Como no quería quedarse pegada al teléfono, optó por darse una ducha por si accedían a salir a comer. Así al menos estaría lista y, si no, podría salir a comprar comida. Hoy saldría a cenar con Jensen, pero él ya le había dejado claro que no volvería a su casa pronto.

Ella tampoco se había puesto una fecha límite para su estancia. Los últimos cuatro días habían sido la mar de cómodos y ahora no quería echarse atrás y destruir los avances que habían hecho. Bueno, que había hecho ella.

Mañana podría hacer la cena. Si no la dejaba ir a trabajar al día siguiente, podría tenerla preparada para cuando llegara. Y si iba a trabajar, podría cocinar cuando saliera de la oficina.

Mientras estaba en la ducha, pensó en lo fácilmente que le había dado el control a Jensen. Lo más sorprendente era que ni le había entrado el pánico ni se había venido abajo. Sí, era evidente que estaba avanzando.

La relación, aún frágil, se había hecho más fuerte en los últimos días. No habían llegado a intimar. Bueno, eso tampoco era verdad. Que no se hubieran acostado no quería decir que su relación no fuera íntima. Tal vez lo era más que si hubieran hecho el amor.

Eso de que ella tendría el control seguía intrigándola. No se le había ocurrido y tenía curiosidad por ver si eso la tranquilizaba o puede que la ayudara a evitar un colapso si llevaba las riendas de la situación.

Aún no estaba segura de cómo irían las cosas, pero quería armarse de valor para sacar el tema a Jensen y pronto, porque quería dar el próximo paso. Lo deseaba muchísimo, pero no quería que se repitiera lo de la última vez. Con un colapso humillante bastaba. Uno más y él se cansaría. Al final se le acabaría la paciencia y lo último que quería era ser una calientabraguetas. No quería calentarlo para luego echarle un jarro de agua fría. O echárselo ella misma, claro.

Tal vez Chessy y Joss pudieran aconsejarla. Eso sí sería una novedad, que ella les pidiera consejo acerca de hombres y sexo. ¡Nunca se recuperarían de la impresión!

Cuando salió de la ducha las dos habían contestado. Lux Café, al mediodía. Sonrió al comprobar lo rápido que lo habían dejado todo por ella. No es que lo dudara, nunca dudaría de algo semejante, pero no solía ser ella la que daba la voz de alarma. Debían de estar muriéndose de curiosidad ahora mismo. Seguro que Chessy había llamado a Joss en cuanto esta aterrizó.

No había mejor manera de aclarar las cosas que contarlas ella misma.

Después de entretenerse en casa de Jensen, explorando y aprendiendo más sobre su personalidad, se puso unos vaqueros y una camiseta. Luego recordó que Jensen le había pedido que lo mantuviera informado de sus planes y le envió un mensaje.

Comeré con las chicas.
Te avisaré cuando vuelva a casa.

Dudó un poco al darle a «enviar» y se mordió el labio, afligida. Quizás no tendría que haber escrito eso de «casa», pero ahora ya era tarde.

Su respuesta le llegó al momento.

PÁSATELO BIEN Y LLEVA CUIDADO. LLÁMAME SI ME NECESITAS.

Esbozó una sonrisa un poco —mejor dicho, muy— ridícula al saberlo preocupado, que quisiera que lo llamara si lo necesitaba. La idea de que acudiría en cuanto lo necesitara le daba una seguridad que no había experimentado nunca.

Se subió al coche y sintió una punzada de tristeza, como le pasaba cada vez que entraba en el coche que su hermano le había regalado al cumplir los veintiuno. Lo echaba de menos. Había sido su pilar de muchas maneras. Vivir sin él le había supuesto un cambio radical. Él siempre había estado ahí para ella, firme e inquebrantable. Era la única persona que no solo conocía, sino que también había vivido el horror de su infancia.

Cuando llegó al Café, Chessy ya estaba allí y Joss llegaba tarde, como siempre. Solían chincharla por llegar tarde, pero al final habían aprendido a no esperarla.

Joss era como un rayo de sol que traía alegría consigo dondequiera que iba. No había persona más amable y simpática. Dash tenía mucha suerte de que, además, fuera tan indulgente, porque estuvo a punto de perderla por sus tonterías.

—¿Cómo estás? —preguntó Chessy preocupada y mirándola con los ojos entrecerrados mientras la escudriñaba—. Pareces... mejor.

Sonrió.

—Lo estoy. Sentémonos y esperemos a Joss, luego os lo contaré todo.

Su amiga arqueó las cejas, sorprendida. Normalmente tenían que sonsacarle la información porque siempre se mostraba reacia. Esta vez, no. Kylie estaba empezando a pasar página. Puede que comenzara cuando apareció Jensen.

A los cinco minutos, Joss llegó corriendo a su mesa de siempre y se sentó al lado de Chessy.

—¡Perdón! ¡Perdón! Se me ha ido el santo al cielo. Aún voy con el chip de la luna de miel. Me he acostumbrado a no hacer nada y en un par de semanas me he vuelto muy vaga.

Ellas sonrieron. Irradiaba felicidad y los ojos le brillaban como diamantes.

—Entonces no hace falta que te preguntemos cómo ha ido —dijo Kylie.

Joss se puso colorada como un tomate y sonrió con picardía.

—Ha ido… bien.

Chessy puso los ojos en blanco.

—Me parece que te estás quedando muy corta.

Joss miró a Kylie, preocupada.

—¿Cómo estás tú, cariño? Chessy me contó lo que te pasó. ¿Estás bien?

Ella asintió, avergonzada por saberse tema de conversación.

—Quería pediros… consejo —contestó ella, incómoda.

Sus amigas se miraron con curiosidad, pero era evidente que estaban encantadas.

—Es sobre Jensen —soltó antes de arrepentirse.

Joss puso los ojos como platos, pero no podía estar tan sorprendida si Chessy ya le había contado lo de su colapso y que Jensen la había llamado. También cabía la posibilidad de que se lo hubiera contado por encima, esperando que Kylie decidiera explicarle su versión. Miró a su amiga, agradecida, y ella sonrió como diciéndole «Te apoyo».

—Nos hemos… liado —añadió, cortada—. Pero en el buen sentido, ¡eh!

—¡Eso es fantástico! Tienes que ponerme al día con los detalles. ¿Estás contenta? ¿Te gusta?

Kylie suspiró.

—Es complicado, muy complicado, pero supuse que ambas tenéis suficiente experiencia para aconsejarme teniendo en cuenta vuestro estilo de vida.

—Entonces ya sabes que Jensen es dominante —murmuró Joss.

Ella asintió.

—Pero aquí es donde se complica la cosa. Me jura y perjura que por mí cederá todo el control, que se negará esa parte de sí mismo. Que cuando esté preparada, si lo estoy, tendré el control absoluto porque no quiere que le tenga miedo.

—Vaya —dijo Chessy, impresionada—. Eso es muy fuerte. Joder. Es muy fuerte Kylie. Es algo muy grande.

Joss asintió con la misma convicción.

—Tienes que ser consciente de lo grande que es eso. Los hombres como él no le dan el control a nadie. Eso dice muchísimo de lo que siente por ti.

Le encantó oírlo y que se lo confirmaran. Algo así sospechaba, pero no entendía del todo la enormidad de su promesa. Ellas, sí. Ambas estaban casadas con hombres dominantes; hombres con los que eran sumisas.

—Me asusté muchísimo en la primera cita —les contó, aunque Chessy ya lo sabía—. Lo único que hicimos fue besarnos en el sofá, pero me cerré en banda y me cagué. Jensen se quedó muy preocupado. Quería que se fuera y al final se fue porque no quería hacerme más daño si se quedaba, pero llamó a Chessy para que viniera. No quería que me quedara sola.

—Qué tesoro de hombre —dijo Joss—. Parece que le importas mucho, cariño.

—Eso espero —murmuró ella—. A mí también me importa. Puede que hasta lo quiera, aún no estoy segura. Todo es muy confuso. Tuvo que irse de viaje de negocios justo después de la cita y no dormí nada mientras estuvo fuera. No me siento segura si no está y me jode ser tan dependiente. Volvió un día antes y me dio un ataque en la oficina. Me llevó a su casa y ha insistido en que me quede desde entonces. No he ido a trabajar desde el miércoles pasado.

—Parece que solo está dispuesto a dejar de ser macho alfa en parte —observó Chessy con una mirada divertida.

—Nunca creí que diría esto, pero me gusta. Es arrogante y mandón, pero también muy amable conmigo. Hace que me derrita. Hace que quiera cosas que nunca antes he querido —añadió Kylie con toda la sinceridad de que era capaz.

Joss le apretó la mano.

—Pues lucha por eso. Dale una oportunidad. Y si es cierto que está dispuesto a cederte el control, cariño, es una señal buenísima. No es algo que un hombre como él haga a la ligera y dudo mucho de que se lo haya ofrecido a otra mujer, lo que te convierte en alguien muy especial.

—Esperaba que dijeras eso —dijo ella algo apesadumbrada—. No tengo ninguna experiencia con esto de la dominación y la sumisión. Él ha reconocido ser dominante y que todas sus relaciones han sido con mujeres sumisas, aunque también me ha dicho que no quiere una entrega física, que nunca llevaría los componentes físicos de la dominación y la sumisión a nuestra relación. Quiere mi entrega emocional y creo que eso da más miedo aún que los aspectos físicos de ese tipo de relación.

—Eso puede hacerte más vulnerable —convino Chessy—, pero tienes que fijarte en la recompensa y valorar si vale la pena. Si él vale la pena. Evidentemente él ya ha barajado sus opciones y ha decidido que le compensa el sacrificio que tendrá que hacer.

—Entiendo el sacrificio de Jensen mejor que la mayoría —dijo Joss en voz baja—. Me negué esa parte de mí misma por Carson porque sabía que nunca me daría la dominación. Lo quería y no me arrepiento de nada, pero siempre había una parte de mí insatisfecha porque necesitaba, o mejor dicho ansiaba, sumisión.

Kylie se quedó callada pensando en las palabras y las reacciones de sus amigas. Si creía en lo que decían, lo que él le había ofrecido era enorme. Tal vez ya se había dado cuenta de la magnitud de lo que le daba, pero necesitaba que se lo confirmaran personas que conocieran el tema.

—Quiero probarlo —reconoció ella—. Por primera vez, tengo muchas ganas de probarlo. Quiero lo que tienen las demás mujeres: una vida normal, alguien que me quiera y se preocupe por mí, alguien que no huya de mi pasado como he hecho yo y que me proteja. Y él cumple todos los requisitos.

—¿Entonces a qué esperas? —preguntó Chessy en un tono desafiante—. Y no, no te digo que te lances a una relación física con él, pero me parece que estáis construyendo algo sólido. Me alegro mucho por ti. Me gusta Jensen. Sí, es un macho alfa, pero es evidente que es cariñoso y que satisface tus necesidades. No se puede pedir más.

Joss asintió.

—Tengo muchísimo miedo —admitió—. Más del que he sentido nunca, pero es un miedo distinto. No le tengo miedo a él o de tener una relación de verdad. Me aterra meter la pata igual que he fastidiado todo lo demás en mi vida.

Las dos amigas fruncieron el ceño.

—Deja ya de pensar en eso —la reprendió Joss—. Cariño, tienes razones de peso para tenerle miedo a una relación íntima. Jensen lo sabe. Dale una oportunidad y, lo más importante, dátela a ti. Cree en ti y en tus instintos. Si no lo pruebas nunca lo sabrás.

Ella asintió despacio.

—Ya lo sé. Supongo que necesitaba oírlo de vosotras. Gracias. Hoy os necesitaba mucho.

—Como si tú no hicieras lo mismo por nosotras —le espetó Chessy—. Entre las tres hemos tratado más crisis emocionales que en un pabellón psiquiátrico.

Joss y Kylie se echaron a reír y el ambiente se relajó de repente mientras disfrutaban de la comida. Kylie se recostó en la silla, deleitándose en esa nueva sensación, en la esperanza de tener algo auténtico y permanente.

Lo único que tenía que hacer era ir a por él. Jensen la había puesto al mando. Le tocaba a ella dar el siguiente paso.

Quince

Jensen entró en el despacho de Dash con determinación. Aunque los dos habían hablado la noche anterior, Jensen no le había enseñado sus cartas. Todavía no. Solo le había dicho que necesitaba hablar de un importante asunto de negocios con su socio por la mañana.

Esta sería la primera prueba de fuego de su colaboración en la empresa. Jensen estaba dispuesto a mantenerse firme en cuanto a Kylie y no tenía nada que ver con lo que sentía por ella. Le había dicho que era por negocios y no le había mentido. Ella era inteligente, ambiciosa y merecía ser un componente esencial en la consultoría. Estaban desperdiciando su talento haciéndole llevar la oficina. Realizaba un trabajo excelente, pero estaba predestinada a cosas mejores y de mayor calado. Si no tomaban medidas para asegurar que se quedara, otra empresa vendría a llevársela. Algún día Kylie llegaría a la misma conclusión que Jensen, que valía mucho más que para su puesto actual, y no quería perderla. Ni profesional ni personalmente.

—Buenos días. —Dash lo saludó nada más entrar por la puerta.

—¿Cómo ha ido la luna de miel? —preguntó Jensen, obligado a hablar de lo obvio antes de pasar a los negocios.

—Fantástica. Ojalá estuviéramos ahí aún —dijo él con tono melancólico—. ¿Y cómo ha ido todo por aquí? ¿Algún problema?

Jensen negó con la cabeza.

—Ninguno. Nos aseguramos el contrato de S&G, en gran parte gracias a Kylie.

Dash arqueó las cejas al tiempo que él se sentaba frente a su mesa.

—Es buena —dijo Jensen abruptamente—. Le ofrecí las riendas del proyecto. Le di toda la información que tenía y le dije que me trazara un plan de acción. Quedamos la noche anterior y yo estuve de acuerdo en todas y cada una de sus recomendaciones.

Dash estaba callado, atento a lo que le decía su socio.

—¿Me estoy perdiendo algo? —preguntó entonces—. Me da la impresión de que me faltan algunas piezas de este rompecabezas. Cuando me fui, Kylie no soportaba estar en el mismo despacho que tú. ¿Y en mi ausencia os aliáis y ella lleva el control de un contrato muy importante para la empresa? ¿Y se lo has ofrecido tú?

—Kylie es mía —dijo él—. Me da igual quién lo sepa, pero nuestra relación no tiene nada que ver con las perspectivas laborales. Soy perfectamente capaz de separar los negocios del placer, y Kylie es brillante. Estuvo a la altura del reto y me gustaría que se la recompensara. Creo que deberíamos plantearnos darle más responsabilidades y contratar a alguien para su puesto. Con el tiempo, podría ser una socia más, estoy seguro.

Dash le lanzó una mirada inescrutable. Apoyó el codo en la mesa y se cogió la barbilla con aire pensativo.

—¿Y qué opina ella de todo esto? ¿Tú? —se apresuró a corregir.

—¿Hablamos de lo profesional o lo personal? —preguntó él como si tal cosa.

—De lo personal. Somos muy protectores con Kylie. No quiero que le hagan daño y tú eres precisamente el tipo de hombre que no necesita.

—Disiento. Es mía —repitió—. Es lo único que debes saber. Ahora mismo, está en mi casa después de trabajar hasta la extenuación la semana pasada mientras estaba fuera. Se desmayó en el despacho y me la llevé a casa para cuidarla. Lo necesitaba. Y si crees que la obligo, te equivocas. Está conmigo porque quiere. Además, no quiero que venga a trabajar en lo que queda de semana. Está hecha polvo y necesita descansar. Cuando vuelva, me gustaría que lo hiciera con un cargo más importante. Eso te da una semana para buscar a alguien.

—Eres un cabronazo —murmuró Dash.

—Es la decisión correcta para la empresa —dijo Jensen—. Nos ha conseguido el contrato de S&G. No me cabe duda de que será un activo importante si le damos manga ancha. Confío plenamente en sus habilidades. Solo tiene que confiar en ella misma.

—Estoy de acuerdo contigo —convino Dash—. Si Kylie demuestra su entereza no habrá problema en hacerla socia. Pero deberías pensar si podrás aceptar la situación en el caso de que lo tuyo no funcione... personalmente.

Jensen lo miró sin pestañear.

—Funcionará. Además, me largaría antes de incomodar a Kylie en su entorno laboral. Nunca haré nada que le haga daño. Y punto.

Dash suspiró.

—Espero que sepas en lo que te estás metiendo. Kylie va a ser un hueso duro de roer y con razón. No reaccionará bien a tu... dominación.

—Por ella estoy dispuesto a hacer concesiones especiales —repuso él.

Y no iba a decir nada más sobre el asunto. Le debía a Dash cierta seguridad porque Kylie era importante para él y para Joss, pero nada más. Lo que hubiera entre él y Kylie era privado. No tenía más que compartir. Era muy posesivo con su relación igual que lo era con ella.

—Entonces te deseo lo mejor —dijo Dash con sinceridad—. Ella merece ser feliz. Nunca pensé que diría esto, pero puede que haya encontrado a su media naranja en ti. Necesita a alguien tan cabezota como ella. Alguien que no ceda o que se eche a correr a las primeras de cambio. Merece a alguien que esté a su lado y se dé cuenta del tesoro que es.

—En eso estamos de acuerdo —dijo Jensen—. Bueno, y en cuanto al nuevo administrador de la oficina, voto por llenar la vacante cuanto antes.

Dieciséis

*N*erviosa, Kylie esperaba a que Jensen terminara de aparcar. Llevaba esperando su llegada desde que regresara de comer con sus amigas. Cuando la llamó para decirle que llegaría antes de lo previsto, se puso contentísima.

No estaba segura de si eso era buena o mala señal, si era indicativo de cómo había ido la charla con Dash.

Fue a recibirlo a la puerta y se lanzó a sus brazos. A él le encantó esa muestra espontánea de afecto y la abrazó con fuerza. Entonces, ella tomó la iniciativa y lo besó, pero no fue como los besitos que le daba él: le comió la boca, hambrienta, lamiéndole los labios e introduciéndole la lengua.

—Vaya —dijo con la respiración entrecortada cuando ella se retiró un poco—. Esto sí que es un recibimiento.

—Te he echado de menos —dijo sin tapujos. A él podía reconocerle cosas que no admitiría a nadie. No se sentía tan vulnerable o expuesta con él.

Se sentía… segura.

Era algo que se decía ella muy a menudo y que también le había dicho a él una y otra vez. Sin embargo, era algo tan alucinante que era digno de repetición. Ella, que no se sentía segura con nadie, se sentía completamente a salvo con Jensen.

—Yo también te he echado de menos.

Entonces, fue él quien la besó tomándose su tiempo, sin prisas. Kylie sentía calor por todo el cuerpo. Ahora que había decidido que intentaría tener una relación física con él, no podía pensar en otra cosa. Se moría de ganas porque eso sería algo enorme para ella, igual que el ofrecimiento de Jensen de cederle todo el control.

—Me he acostumbrado a tenerte cerca estos cuatro días —susurró ella.

Él gimió.

—Dios, cielo, si quieres que salgamos, tendrás que parar porque estoy a punto de cogerte en volandas, llevarte al dormitorio y esposarme al cabecero de la cama.

Ella se echó a reír alegre y despreocupadamente. ¿Tanto había avanzado que podían bromear sobre sus complejos y reírse de sí misma? Si en algún momento había dudado de si amaba a este hombre, las dudas acababan de esfumarse.

—Estoy lista para salir —dijo sonriendo—. Me dijiste que me pusiera informal, pero tampoco quería ir con un trapillo.

Él se apartó un poco como si, en ese momento, se diera cuenta de lo que llevaba puesto. Le encantaba que no le prestara atención al envoltorio. Solo estaba centrado en ella, en la mujer y en lo que había en su interior, por muchos líos que hubiera ahí.

—Si eso es tu definición de «informal», me muero por ver qué no lo es. —Su aprecio y valoración eran patentes en el tono de voz.

Llevaba un vestido de cóctel que le quedaba por encima de las rodillas y con el que enseñaba las piernas. Era sencillo y podía considerarse informal: negro y sin mangas, tenía un escote modesto que solo insinuaba la sinuosidad de sus pechos.

Lo más llamativo eran los zapatos. Solía llevar calzado plano y nunca usaba tacones. Sin embargo, ese día se sentía valiente y atrevida, así que de camino a casa paró en una tienda y se compró un par de zapatos de tacón con clavitos y brillantes que le quedaban de vicio. Solo esperaba no caerse de bruces cuando intentara andar con ellos.

—Quería estar guapa para ti —le dijo entre titubeos.

Él la atrajo hacia sí, con cuidado para que no tropezara.

—Cielo, estás preciosa te pongas lo que te pongas, pero te aseguro que estás guapísima. Soy un cabrón con suerte por que me vean contigo. Voy a cambiarme la ropa de trabajo y salimos. ¿Crees que podrás bailar una lenta con esos zapatos?

Ella sonrió al captar esa mirada de aprecio que colmaba su ego femenino. Ni siquiera sabía que lo tenía hasta entonces.

—Si estoy muy cerca de ti no me caeré.

Él se le acercó entonces y le susurró:

—No permitiré que te caigas nunca, cielo.

El corazón le dio un vuelco con esa promesa; sabía que no la rompería. Literal y metafóricamente hablando, no la dejaría caer. No si estaba cerca. Era más fuerte con él, gracias a él. Se sentía con ánimo de comerse el mundo por la confianza que él depositaba en ella.

Se moría de ganas de decirle todo lo que sentía, pero sabía que aún les quedaba un largo trecho por delante y que no sería fácil. Todavía tenían que superar algunos obstáculos, pero por primera vez era optimista por la oportunidad de recuperar las riendas de su vida. Y en parte se lo debía a él. No, se lo debía todo a él.

Si no la hubiera presionado, si no hubiera sido tan obstinado, seguiría viviendo al día, escondiéndose del mundo con la cabeza en la arena.

Ahora salía. Tenía otra cita, solo que en esta ocasión esperaba un resultado mejor. No era tan ingenua como para pensar que consumarían esta noche, pero quería intentarlo. Ya era algo, ¿no? No tenía miedo de intentarlo. Solo temía fracasar, pero no iba a usar eso como excusa para no hacerlo. Se enfrentaría a sus miedos de cara y no permitiría que se adueñaran de ella nunca más.

Jensen no tardó nada en cambiarse. Se puso unos vaqueros y un polo que le sentaba con un guante. Se ajustaba a la perfección al pecho y a los hombros, y acentuaba su físico esbelto a la par que musculoso.

Y su olor… No sabía si se había puesto colonia o tal vez

fuera solo el *aftershave*. No olía muy fuerte; olía a hombre. Le encantaba.

Fueron a un club de jazz del centro. Cada noche tocaba una banda y la iluminación era tenue y romántica; solamente se oían los armónicos compases de la música mezclados con las conversaciones de los demás.

Era un lugar íntimo y acogedor. Cómodo y perfecto. Un preludio ideal para lo que esperaba que vendría después. Estaba nerviosa e impaciente por ver dónde les llevaría la noche. Quería hablar con él, preguntarle lo del control y si de verdad estaba dispuesto a cederlo.

Lo quería su corazón y su cuerpo. Ahora solo esperaba que lo deseara su mente también.

Pidieron las bebidas e intercambiaron miradas por encima de sus copas. Después de pedir la cena, Jensen se incorporó y le tendió la mano.

—Es hora de ver cómo bailas con esos zapatos y si puedo sostenerte —dijo con un tono pícaro.

Ella se entregó a sus brazos sin pensarlo, captando la intensa esencia masculina y la fuerza que su cuerpo le ofrecía. Él la abrazó de tal modo que apenas tenía espacio para moverse. No le importó demasiado.

Empezaron a moverse lentamente al ritmo de la música, con la cabeza apoyada bajo la barbilla de Jensen. Cerró los ojos y se le acercó más, dejó que la abrazara.

Se le cortó la respiración cuando notó su erección en el vientre. Incluso a través de la tela vaquera, notaba su pene duro y hasta con pulso.

Él le acarició la espalda arriba y abajo, rozándola con los dedos como si le susurraran a su piel igual que en un sueño. Ella gimió suavemente, un ruidito de satisfacción y de placer que le vibró en el pecho.

—Me matas, cielo.

Esas palabras la hacían estremecer entera.

Levantó la cabeza para poder susurrarle también y él se agachó ligeramente para acercarse a sus labios.

—Tú también me matas.

La sonrisa de Jensen fue inmediata. Era una sonrisa maliciosa, como de depredador, que tendría que haberla aterrorizado, pero no lo hizo. Esa sonrisa le decía que estaba en peligro… pero del bueno.

Le puso una mano en la nuca y la otra en su esbelta espalda. Su instinto femenino estaba en alerta. Se notaba tensa de las ganas; se notaba los pechos pesados del deseo.

Entonces, sin soltarla, se inclinó y la besó en los labios. Fue tan tierno, tan gentil, que casi le entraron ganas de llorar. No había nada más perfecto que su aquí y ahora. En sus brazos, con las notas de jazz envolviéndolos.

La intimidad los rodeaba, los cubría, los abrazaba. Ella se dejaba llevar en sus brazos, completamente absorta en el momento. Quería que se detuviera el tiempo, que ese ambiente no cambiara nunca.

Él parecía tan reacio como ella cuando se apartó y miró en dirección a la mesa con una mueca.

—Ya ha llegado la cena.

—¿Qué cena? —preguntó ella con la voz ronca.

Él sonrió y la besó en la comisura de los labios.

—Venga, vamos a darle de comer a mi niña.

La embargó una sensación vertiginosa de alegría por ese mote cariñoso. Su niña. Como si le perteneciera y fuera la destinataria de todos sus cuidados.

Se comportaba como una adolescente que apenas podía controlar las hormonas.

La llevó de vuelta a la mesa donde les aguardaban los entrantes, pero Jensen se acercó el plato de Kylie y se sentó un poquito más cerca de ella. Le cortó el bistec y le dio un bocadito.

Al principio le dio vergüenza que un hombre le diera de comer a una mujer ya crecidita. Miró alrededor rápidamente, pero nadie les prestaba la más mínima atención. Todos estaban enfrascados en sus conversaciones.

—Relájate, Kylie. Ya te doy yo de comer. Me encanta.

Pensado de ese modo, se sentía como una arpía por dejar que ese breve instante de incomodidad se interpusiera en la intimidad que se estaba estableciendo entre ambos y que cada vez era mayor.

Se esforzó por tranquilizarse como le había pedido y dejó que prosiguiera ese íntimo acto de darle de comer.

—¿Ves? No está nada mal —le dijo en un tono convincente.

Ella negó con la cabeza y miró el plato de él, que ni siquiera había tocado.

—¿Te doy de comer yo a ti? —le dijo bromeando.

Él se sorprendió, pero luego pareció complacido.

—Si quieres...

Ella se inclinó hacia delante, cogió el cuchillo y el tenedor y empezó a cortarle la carne. Entonces le fue dando bocaditos mientras él no dejaba de mirarla.

Lo que al principio era una experiencia algo incómoda para ella, se convirtió en un acto muy íntimo. El ambiente sensual que les rodeaba era casi tangible y se volvía cada vez más intenso, como si se estuviera fraguando algo.

Lo quería. Lo quería. Desear tanto a un hombre era nuevo para ella. Nunca había tenido tantas ganas de dejar atrás su pasado como ahora. Lo había usado como una barrera protectora, un muro infranqueable. Pero ahora quería bajarla ella misma, no quería que lo hiciera él. Quería ser dueña de ese momento; quería ser ella quien lo hiciera.

—¿Quieres volver a casa? —susurró ella.

Se dio cuenta de que tal vez no quedaba claro a casa de quién se refería, pero llevaba días con Jensen y no tenía ganas de irse a la suya. Además, allí ya le había dado un ataque. Quizá en casa de él, un sitio en el que ya se sentía segura y a salvo, pudiera vencer a sus demonios.

—Pues claro —murmuró él.

Sacó unos billetes de la cartera y los dejó en la mesa junto a los platos. Se levantó y le tendió la mano. Ella se la cogió, se puso en pie y se fueron corriendo al coche.

El trayecto de vuelta a casa fue en silencio, pero de algún modo a ella la tranquilizaba esta tensión entre ambos. Estaba claro que se tenían ganas. Ninguno de los dos trataba de ocultarlo.

Cuando llegaron a la entrada, Kylie tuvo un momento de duda que se apresuró a aplacar. Quería seguir adelante con esto. Tenía preguntas y quería tener una imagen más clara de lo que le había prometido.

En cuanto entraron en casa, ella tomó la iniciativa y se fue derecha al salón. Se sentó en el sofá y le dio un golpecito al cojín de su lado.

Él se sentó, ella se dio la vuelta y se tragó todos sus miedos. Con este hombre podía ser ella misma. Con este hombre podía sentirse completa otra vez. Bueno, otra vez no. Mejor dicho, por primera vez.

—Quería… necesitaba pedirte algo —dijo titubeante.

Él le acarició la mejilla con suavidad y de un modo la mar de tranquilizador, aunque su tacto era puro fuego.

—Pídeme lo que quieras, cielo. No hay nada de lo que no podamos hablar.

Ella sonrió, alentada por su sinceridad.

—Quiero… —Inspiró hondo y fue a por todas—. Quiero volver a intentarlo. Contigo, vamos. Pero quería saber antes a qué te referías con lo de darme el control.

A Jensen le brillaban los ojos con una intensidad y un calor casi palpable. Deseo. Satisfacción. Alivio.

—A eso mismo me refería —repuso él—. Si te apetece esto, puedes atarme a la cama, con las dos manos por encima de la cabeza, y seré tuyo para que hagas lo que te plazca. Y con eso me refiero a lo mucho o lo poco que quieras. Empecemos poquito a poco y así verás qué ritmo te va mejor, pero no te presiones. No quiero que te enfades si no puedes con todo al principio. No tengo prisa. Tenemos todo el tiempo del mundo, así que quiero que te relajes, que vayas despacio y que hagas solo aquello con lo que te sientas cómoda.

Kylie dejó caer los hombros, aliviada. Él parecía muy sincero.

—Entonces hagámoslo —susurró—. Quiero intentarlo.

No quiero hacerte promesas que no pueda cumplir, así que de momento veamos qué pasa.

La sonrisa de Jensen era tremendamente gentil y comprensiva.

—Lo que tú ordenes y mira que yo no hago estas ofertas a la ligera. Solo por ti. Siempre para ti.

—¿Entonces qué hago ahora?

Él se levantó, le tendió las manos en un gesto de apoyo y solidaridad.

—Nos vamos al dormitorio y cogeré cuerda para que me ates a la cama. El resto depende solo de ti, cielo.

Diecisiete

$\mathcal{K}$ylie observaba fascinada a Jensen mientras se desvestía y sacaba después una cuerda de un cajón.

Era apuesto. Emanaba una masculinidad descarnada. Era perfecto y parecía no importarle estar ahí desnudo. Ni tener el pene erecto en pleno apogeo.

Por mucho que intentara mirar hacia otro lugar —donde fuera—, no podía dejar de mirar su erección. Curiosamente no la aterraba; la fascinaba, de hecho. Era como él, increíble.

Se ruborizó al reparar en la idiotez de considerar increíble su pene, pero pertenecía a un hombre guapo, de modo que no podía ser de otro modo. Este hombre no tenía defecto alguno: era la perfección física en persona.

Él se dio la vuelta y le tendió la cuerda. Ella la cogió, nerviosa, sin saber exactamente lo que tenía que hacer con ella. Gracias a Dios, él tomó la iniciativa. Tal vez ella se creyera al mando, pero no lo estaba. Seguía sus indicaciones y con mucho gusto, cabía añadir.

Él se tumbó de espaldas en la cama, estirándose tan grácilmente como un gato, y quedó allí expuesto y vulnerable. Colocó los brazos por encima de la cabeza y acercó las manos a las barras del cabecero.

—Átame, cielo —dijo él con una voz áspera que le hizo sentir escalofríos en la espalda—. Y luego podrás hacer lo que quieras.

Ay, Dios. Este macho alfa era suyo y podía hacer lo que quisiera. ¡Y qué ganas tenía! Lo deseaba tanto que hasta le dolía.

Se subió a la cama y empezó a enrollarle la cuerda a una muñeca. Entonces tiró la cuerda hacia la otra mano y se la ató también. Comprobó la tensión de la cuerda aunque no tenía miedo de que le hiciera daño. Aún necesitaba cierta seguridad mental. Su cabecita necesitaba saber que estaba a salvo.

Cuando terminó, se sentó y contempló su cuerpo. Había tanto para admirar, para tocar, para saborear. De repente lo quiso todo y a la vez. Era como un festín ante una mujer hambrienta.

Primero le tocó el torso. Le pareció el sitio más seguro para empezar y por allí pasó las manos, sobre sus músculos, exploró los pectorales y su fuerte abdomen.

Él contuvo la respiración cuando le tocó. Se movió bruscamente y ella apartó las manos pensando que había hecho algo mal.

—No pares, cielo. Me encanta que me toques. Si supieras lo mucho que he esperado que me tocaras así. No pares. Puedes tocarme y explorarme todo lo que quieras. Está en tus manos. Te garantizo que no habrá nada que no te guste.

Animada por la intensidad —y la sinceridad— de su voz, se centró en su cuerpo; esta vez se dedicó a sus hombros, sus costados, cada vez más cerca de ese lugar que quería tocar.

Su pene, completamente erecto, le rozaba el vientre. Solo tenía que bajar los dedos un poco más para tocarlo.

Cambió de postura para tenerlo cara a cara; quería ver su reacción cuando por fin le cogiera el miembro con las manos.

Le recorrió un lado con el dedo, siguiendo la vena hinchada. Él gimió y levantó las caderas para acercarse más a ella. Envalentonada, Kylie llevó una mano a la base y poquito a poco fue tirando hacia arriba. Cuando llegó al capullo, brotó una gota de la punta que le mojó la mano.

—Eres tan guapo —susurró—. Me encanta tocarte.

—Y a mí me encanta que me toques —dijo en un tono de voz ronca—. Estas guapísima tocándome. No dejo de preguntarme qué he hecho para merecer esto. Una diosa dándome placer cuando debería ser yo quien te lo diera a ti.

Ella sonrió.

—Ya llegaremos a eso. Espero.

Él la miró con seriedad.

—Claro que sí. No tenemos prisa y no quiero que te sientas obligada a darme lo que no puedes. Esperaré porque el resultado lo vale. Tú lo vales.

A ella se le hizo un nudo en el pecho. Al decirlo así, lo hacía parecer todo muy fácil y suponía que en el fondo así era. Tiempo. Tenían todo el que quisieran. Le había dejado muy claro que la deseaba y que esperaría lo que fuera menester. ¿Era consciente del enorme regalo que le hacía?

Se inclinó y acercó los labios a su vientre, solo un poquito más arriba de donde descansaba su miembro. Él dio un grito ahogado como dándole ánimos para que lo rozara con la boca.

Con sumo cuidado, lo besó en la punta, igual que había hecho en su vientre y, en un arrebato, se la lamió.

—Joder —exclamó él—. Me matas.

Sintiéndose poderosa, empezó a succionarle la punta, dejándola dentro un buen rato mientras le lamía el líquido preseminal. Entonces, empezó a hacerle una mamada disfrutando de su reacción instantánea.

Carecía de experiencia, pero su instinto la guio y siguió tocándolo con las manos mientras le daba placer con la lengua y con la boca.

Jensen respiraba pesadamente y volvía a levantar las caderas para introducirle el pene en la boca, más adentro. Movía los brazos tensando la cuerda que le inmovilizaba las muñecas y tenía el rostro contraído.

—Mastúrbame con las manos, cielo. Estoy a punto de correrme —dijo con la respiración entrecortada.

Ella obedeció y lo tocó con ambas manos; notaba la fuerza y la dureza de su polla. Era como terciopelo sobre acero. Lo acarició hacia arriba y hacia abajo, cada vez más fuerte. Se inclinó después para lamerle los testículos; le gustó la sensación rugosa del escroto en la lengua.

Su grito rasgó el silencio al llegar al orgasmo. El semen

se esparció por su vientre y le moteó la piel con gotitas cremosas. Ella observaba con fascinación cómo se corría mientras seguía acariciándole hasta que finalmente empezó a perder la erección.

Ver cómo se corría había sido una sensación vertiginosa y muy distinta a todo lo que había experimentado en la vida. La dejó inquieta, tensa e insatisfecha. Lo deseaba tanto que se notaba un cosquilleo en los pechos y el pulso en el clítoris, pero no sabía cómo llegar al clímax. Ahora que había dado el paso no sabía qué más hacer o si debía hacer algo para aliviar su insatisfacción.

—Quítate la ropa, cielo.

Sorprendida, levantó la vista.

—Sigues al mando —dijo para tranquilizarla—, pero necesitas llegar y me gustaría ver tu precioso cuerpo. Recuerda que sigo atado. Va, quítate la ropa y acuéstate a mi lado, quiero ver cómo te corres.

Algo temblorosa, se levantó e hizo lo que le pedía. Sin mirarle, se quitó la ropa poco a poco y dudó al quedarse en braguitas y sostén. Sentía como si las cicatrices de hacía décadas pudieran vérsele en la piel. Se sentía muy vulnerable, pero a la vez tenía ganas de obedecer.

Miró rápidamente a Jensen y encontró una mirada comprensiva en sus ojos oscuros. De haberla mirado de otro modo, se hubiera asustado, pero fue esa comprensión lo que le permitió seguir adelante.

Él veía su corazón. Él sabía lo duro que le resultaba desnudarse y eso le daba fuerzas para no dejar que la dominaran sus miedos.

Antes de echarse atrás, se quitó el sostén y las braguitas. Luego, volvió a la cama y se arrodilló a su lado antes de volver a mirarlo a los ojos.

—Tócate —murmuró—. Date placer. Quiero ver cómo llegas al orgasmo.

Ella abrió bien los ojos. Por un instante no supo qué hacer.

—Tócate los pechos. Acarícialos y luego rózate los pezones. Descubre qué te gusta y hazlo —la alentó.

Seducida por su tono ronco y las ganas que tenía de que acabara satisfecha, se fue acariciando el vientre hasta los senos, que se apretó para abarcarlos bien. Con el pulgar se rozó los pezones y dio un gritito ahogado al notar el chispazo que de repente parecía haberle dado.

—Ahora imagina que te los estoy chupando —le pidió en voz baja—. Imagina mi boca en tus pechos y mi lengua lamiéndolos.

Cerró los ojos y gimió, dejándose llevar por el espíritu de la seducción.

—Ponte una mano entre las piernas. Sepárate bien los pliegues, enséñame bien ese precioso sexo tuyo. Con la otra mano, sigue jugando con el pecho y el pezón.

Con los ojos cerrados, porque no quería romper el hechizo, bajó una mano por el vientre hasta los muslos. Se estremeció cuando se rozó el clítoris con los dedos y, entonces, tal como le había pedido, se levantó un poco para que lo viera bien.

—Precioso —murmuró—. Tócate, cielo. Quiero que te corras. Córrete para mí.

Gimió mientras empezaba a tocarse y a hallar el ritmo perfecto. Arqueó la espalda, incapaz de quedarse quieta. Movía las caderas mientras seguía ejerciendo cierta presión en el clítoris con el dedo anular.

—Así, muy bien —la animaba él—. Siéntete bien, Kylie. Dios, eres tan guapa. Eres tan bonita.

Esa voz tan suave y sensual aumentaba su placer y la elevaba más y más, casi al borde del éxtasis.

Notaba el cosquilleo de algo maravilloso. El cuerpo se le tensaba entero y se notaba los pechos cada vez más sensibles con cada roce y cada respiración. Apretaba el vientre y el sexo, y la sensación se intensificaba. Con cada caricia y cada palabra de Jensen se veía más cerca.

Echó la cabeza hacia atrás; se sentía salvaje y exótica. No era ella misma. Se había convertido en otra persona completamente distinta. Alguien sexual, una seductora. Alguien con el control de su sexualidad.

Nunca se había sentido tan libre y tan descansada. Aquí nada podía maltratarla, herirla o asustarla. Aquí estaban solo Jensen y ella. Y sus fantasías más secretas y excitantes.

—Eres tan guapa —murmuró.

Abrió los ojos y lo miró; de repente se sentía desinhibida, no tenía miedo. Quería compartir ese momento con él.

—Córrete para mí, cielo. Quiero ver tu placer. Y saborearlo.

Se introdujo un par de dedos para comprobar lo húmeda que estaba y se los ofreció a él después. Él se metió un dedo en la boca y lo succionó con ganas. Se lo dejó bien limpio y gimió en señal de satisfacción.

Rápidamente volvió a introducírselos en el sexo porque estaba a punto. Muy, muy a punto. No quería perder la ocasión.

Más rápido, más fuerte. Ejerció más presión y luego volvió a echar la cabeza hacia atrás. Ya llegaba. Ya estaba allí y se dejaba llevar.

Gritó y se estremeció cuando el orgasmo se desató en su interior como una ola gigante. Se inclinó hacia delante y se apoyó con ambas manos en la cama, jadeando.

De repente quería que Jensen la abrazara, que la tocara. Quería su fuerza y sentirse segura.

Tiró de los nudos, pero apenas tenía la fuerza para desatarlos. En cuanto le liberó una mano, él pudo desatarse la otra; parecía igual de desesperado que ella por abrazarla.

Kylie se lanzó a sus brazos. Le daba igual que ambos estuvieran desnudos. Había hecho un sacrificio por ella. Nunca le haría daño y lo sabía.

—Abrázame —le susurró—. Por favor. Te necesito.

—No pienso soltarte —le prometió—. Te abrazaré todo lo que quieras, siempre que lo necesites. No me voy a ningún lado.

Dieciocho

*J*ensen estaba despierto. Tenía a Kylie durmiendo pegada a él y se sentía tranquilo y contento. Era consciente de la importancia de lo que había pasado esta noche y casi no podía contenerse de la alegría. Kylie era suya. Sabía que esto no era la panacea y que aún les quedaban obstáculos que sortear, pero, por primera vez, estaba en paz consigo mismo y la llama de la esperanza ardía en su mente y en su corazón.

Le acarició todo el cuerpo, simplemente para disfrutar del tacto de su piel: desnuda, hermosa, cálida y saciada.

—Gracias —susurró ella— por lo que me has dado esta noche. Sé que no habrá sido fácil para ti, para un hombre como tú, quiero decir. Pero nunca lo olvidaré, Jensen. Las palabras se quedan cortas para decirte lo que esto ha significado para mí.

Él se notó una presión en el pecho y un nudo en la garganta que le impedían hablar.

—Es lo más fácil que he hecho nunca —dijo. Era la pura verdad. Dar el control a esta mujer era muy sencillo y valía todos los sacrificios—. Cederte el control ha valido la pena. No quiero que te preocupes ni pienses que me arrepentiré o te culparé por ello a la larga. Estoy dispuesto a dártelo todo el tiempo que necesites. Siempre, incluso, si es lo que hace falta para que estemos juntos. Si el resultado final es tenerte entre mis brazos como ahora, haré lo que esté en mi mano para conseguirlo.

—Te quiero —susurró y su declaración lo dejo estupefacto—. Sé que es demasiado pronto. He tenido muchas peleas conmigo misma tratando de averiguar si lo que sentía era amor. Todo esto me ha vuelto loca, pero ya no quiero preocuparme más. Quiero sentir. Me he pasado la vida sin sentir nada, sin arriesgarme a que me hagan daño solo por sentir. Pero lo que siento al estar contigo es amor. Estoy segura, no puede ser otra cosa. Nada puede hacerme sentir así. Nunca he amado a nadie, no así. Solo a Carson, Chessy y Joss, claro, pero lo que siento por ti no puede compararse de ningún modo con lo que siento por ellos. Me asusta, pero, al mismo tiempo, me parece lo correcto.

Él la estrechó con más fuerza y cerró los ojos al notar cómo le embargaba una emoción que le oprimía el pecho. Le impresionaba lo valiente que había sido al contárselo, sobre todo después de dar ese gran paso confiando en él para intimar.

Le asombraba el precioso regalo que tenía entre los brazos; le maravillaba que esta mujer tan valiente y valerosa lo quisiera. No se sentía digno ni de su amor ni de su confianza y, a pesar de todo, quería ambas cosas. La quería con todo su ser. Era el aire que respiraba, se había convertido muy rápidamente en su razón de ser y sabía que sin ella no volvería a sentirse completo. Sabía que la amaba sin reservas, que lo que sentía por ella no se parecía ni remotamente a lo que había sentido por nadie.

Le acarició el pelo, tratando de recobrar la compostura. No quería fastidiarlo: era demasiado importante. Había depositado su confianza en él, su fe y su bienestar y no quería fallarle.

—Yo también te quiero, cielo. Muchísimo. Aunque no me creas en otra cosa, créeme en esto al menos. Creo que te quiero desde la primera vez que te vi.

Ella levantó la cabeza de su pecho y lo miró con los ojos brillantes.

—¿Y qué vamos a hacer, Jensen? Sé que hoy ha sido un gran paso, pero tenemos otros problemas que superar. No quiero que haya ningún problema entre los dos. Quiero tu amor, lo necesito. Nunca creí que necesitaría esta conexión con un hombre y me ha pillado desprevenida. Me has deslumbrado. Apareciste cuando no te esperaba y de repente estabas allí... aquí —corrigió, y se puso la mano en el corazón—. No quiero que esto se estropee.

Él la besó en la frente fruncida para aliviar la tensión que tan evidente era en su rostro. Tanto su expresión como sus palabras eran sinceras. Se le antojaba vulnerable. No quería que sintiera miedo estando con él, pero algunas cosas se escapaban de su control. Él, que solía controlarlo todo en su vida, tenía que resignarse a ceder el control por esta mujer.

—No será fácil —dijo francamente—, pero las cosas buenas que valen la pena nunca lo son. Juntos lograremos que lo nuestro funcione; podemos conseguir lo que sea. Quiero que confíes. Y lo otro que quiero que sepas es que no voy a irme a ningún lado. Por mucho que se tuerzan las cosas, por muchas dificultades que haya, no pienso marcharme ni darme por vencido.

Las lágrimas se asomaban a los ojos de Kylie y, al final, acabaron por resbalarle por las mejillas. Él le secó una con el pulgar; tenía el corazón encogido al reparar en la incertidumbre en sus ojos y sus palabras.

—Yo tampoco voy a darme por vencida —le prometió en voz baja—. No me dejes huir, Jensen. No permitas que me esconda de ti... de nosotros. Es lo que mejor se me da. Cuando las cosas se complican, huyo y escondo la cabeza para estar a salvo. No tires la toalla conmigo. Yo también intentaré no hacerte daño. Necesito que me creas cuando te digo que quiero esto. Te quiero a ti y quiero que haya un nosotros.

Él sonrió; la alegría invadía toda su alma.

—Si huyes, iré a por ti y te arrastraré hacia aquí. No dejaré que te me escapes, cielo. No a menos que eso sea lo que tú quieras. Quiero que seas mía, pero más aún que seas feliz y que te sientas segura. Siempre.

Ella cerró los ojos —estaba claro que intentaba serenarse— y cuando los abrió lo miró con sinceridad.

—Te quiero.

Eran solo dos palabras, pero la emoción con que las dijo era pasmosa. Se sentía honrado por su amor y su confianza. Nunca se había sentido más indigno de nada como en este momento, pero no pensaba rechazar este magnífico regalo.

Le apretó el muslo cariñosamente, deleitándose en la suavidad de su piel en contraste con la firmeza de su cuerpo.

—Yo también te quiero, Kylie. Lo conseguiremos, ya verás. Lo lograremos. Solo es cuestión de tiempo.

Ella bajó la mirada, pero le dio tiempo a ver un destello de dolor.

—Soy un fracaso —reconoció—. Sé que puedo confiar en ti y a pesar de todo no he podido tener relaciones íntimas contigo sin atarte. Suena tan ridículo todo. Estoy aquí diciéndote que te quiero y que confío en ti y ni siquiera hemos llegado a la penetración. ¿Decir una cosa y hacer otra distinta no me convierte en una hipócrita?

Le dio un vuelco al corazón al notar la consternación en su voz. Le levantó la cabeza por la barbilla para obligarla a mirarlo.

—Cielo, esto ya es un gran paso para nosotros… para ti. No hay prisa y no quiero que te martirices por esto. Yo soy feliz y tú también lo eres; lo demás no importa. Con el tiempo, confiarás en mí hasta el punto de dejar que te haga el amor. Y confiarás en ti. Hasta entonces, me atarás a la cama hasta que te sientas con el valor suficiente para dar el salto.

Ella hizo un mohín.

—Ojalá fuera tan segura de mí misma como tú.

—Tranquila, ya lo soy yo por los dos —repuso él con amabilidad—. Ya llegaremos a eso. Roma no se construyó en un día. Esto tardará un tiempo, es normal. No es algo que debamos tomarnos a la ligera. Tienes que sentirte segura conmigo, porque si aceleramos las cosas se puede ir al garete. A mí me gusta que dejemos las cosas como están hasta que te sientas preparada para dar ese último paso. Conmigo no tienes que disculparte ni justificar tus miedos. Nunca. Te quiero, y querer supone hacer lo que haga falta para cuidar a aquella persona que amas.

Ella se incorporó un poco y lo besó.

—Te quiero tanto —susurró en sus labios—. No te merezco ni a ti ni tu paciencia, pero le doy gracias a Dios por ambas cosas. Nunca imaginé que me sentiría así por nadie. Me asusta, pero es precioso al mismo tiempo.

Entonces él la besó poco a poco y con dulzura; la saboreaba con la lengua, con la que a la vez le acariciaba los labios. Se echó hacia atrás para deleitarse con la conexión entre ambos, con ese momento de confesiones. No quería que esto terminara. No quería que el mundo exterior se entrometiera en algo tan nuevo y hermoso. Frágil y vulnerable.

—No es por cambiar de tema, pero no hemos hablado de la conversación que he mantenido con Dash. Te prometí que te lo contaría todo y no se me ocurre mejor momento que ahora, en mis brazos y tan cariñosa.

Ella sonrió.

—A saber cómo debo de estar, que Dash y mi puesto de trabajo eran lo último en lo que pensaba.

—Eso es porque estabas muy centrada en mí y aunque eso me convierta en un cabrón egoísta, me gusta que no pienses en nada más cuando estás conmigo.

Ella volvió a besarlo antes de recostarse para verlo bien. El pelo cubría la almohada como si fuera satén. Estaba tumbada de lado con las piernas entrelazadas con las de Jensen. Él volvía a tener una erección, pero no intentaba esconderla ya. Quería que supiera lo mucho que la quería y la deseaba, lo hermosa que la encontraba.

—Bueno, ¿qué te dijo Dash? ¿Y qué le dijiste tú exactamente?

Él le acarició el cuerpo entero, incapaz de contenerse mientras hablaban. Se le antojaba algo muy íntimo hablar sobre cosas banales en la cama, abrazados, como si el mundo exterior no existiera.

—Le dije que empezara a buscar a alguien para tu puesto de trabajo, porque estábamos malgastando tu talento. Le dije que quería que te tomaras el resto de la semana libre. Necesitas descansar, pero reconozco que es algo egoísta por mi parte porque me gusta tenerte para mí y no estoy preparado para dejar que te vayas o compartirte con los demás.

A Kylie le gustó el comentario, no parecía que le molestara que tomara decisiones por ella respecto a su trabajo. Tenía que trazar una delicada línea porque, aunque le había dado el control sobre la relación y hacer el amor, era normal que su naturaleza dominante se reivindicara en otras áreas.

—También le dije que nos habías conseguido el contrato de S&G y que debíamos permitirte que trabajaras codo a codo con nosotros, y que en el futuro serías una socia excelente.

Frunció el ceño a pesar de que en su mirada se adivinaba un destello de emoción.

—¿Y cómo se lo tomó? —preguntó, vacilante.

—Pues se lo tomó bien. Accedió a empezar a buscar a alguien. Le dije que tenías que poder concentrarte en otros aspectos del negocio y que no tendrías tiempo para estar por todo lo que te encargamos. Necesitarás a alguien que te ayude, así que, técnicamente, la persona que entre trabajará para los tres y no solo para Dash y para mí.

—Tu confianza significa muchísimo para mí, Jensen —le dijo muy sinceramente—. Con el tiempo, espero verme a mí misma como me ves tú. Estoy tratando de mejorar, pero como bien has dicho antes, Roma no se construyó en un día.

Él soltó una carcajada al ver cómo le devolvía sus palabras.

—Muy cierto, cielo.

Entonces ella se quedó callada; seguramente no sabía cómo enfocar la pregunta que le haría a continuación.

—¿Y sabe… lo nuestro?

Él asintió.

—Le conté la verdad. Le dije que eras mía.

Kylie parpadeó deprisa, como si sopesara esa respuesta tan tajante. Una sonrisa se asomó a su bello rostro. Le brillaban los ojos.

—Me gusta —comentó en voz baja—. Me gusta cómo suena cuando lo dices. Nunca he pertenecido a nadie. Si alguien me hubiera dicho que me alegraría de que un hombre fuera tan... posesivo, lo hubiera negado de inmediato. Nunca hubiera creído que me gustara o que lo permitiera.

—Es que eres mía —añadió él con una voz igualmente baja—. No lo dudes. Y yo protejo lo que es mío. Te lo advierto ya. Te cedí mi control en cuanto al sexo y lo hice con mucho gusto, pero mi... dominación, a falta de una palabra mejor, se manifestará de otras maneras. Tal vez, algunas no te gusten o te puedan asustar o sorprender. No te lo digo para asustarte. Solo te soy sincero porque no quiero pillarte desprevenida o que te dé miedo.

Ella se mordió el labio inferior y se le quedó mirando un rato en silencio.

—Sé lo grande que es que me hayas cedido el control. Sé que va contra todo lo que eres. No quiero que creas que no aprecio lo que me estás dando. Lo valoro muchísimo. Como has dicho, lo conseguiremos. No dudo de que podremos solucionar cualquier impedimento que aparezca en la relación siempre y cuando entiendas que habrá momentos en los que discreparemos. Puedo ser muy cabezota y estoy acostumbrada a hacer las cosas a mi manera, ya lo sabes. Pero quiero que esto funcione y no me importa lo de la dominación. Al menos, en teoría.

Él le acarició la mejilla y la mandíbula al tiempo que le apartaba el pelo de la cara. Ella se le acercó hasta que casi se rozaban con la nariz. Los ojos de Kylie transmitían sinceridad.

—No quiero que cambies tu forma de ser por mí. No entendía cuando Joss decía que quería a Carson demasiado para pedirle algo que no podía darle, pero ya sí. Lo entiendo porque no quiero que cambies quien eres por mí. Me gusta como eres.

A él se le deshizo el corazón allí mismo, en la cama. Volvió a besarla con intensidad hasta que ambos se quedaron sin aliento y con el pulso acelerado.

—Lo mismo digo, Kylie. No quiero que cambies quien eres por mí porque me encanta cómo eres.

—Entonces tendremos que encontrar la forma de coexistir a pesar de las diferencias —dijo ella con descaro.

—Ya te digo —masculló él.

Ella bostezó; tenía la mirada contenta, pero soñolienta.

Él la atrajo hacia sí y ella apoyó la cabeza en su hombro.

—Ven aquí, duérmete, cielo. Iré a trabajar más tarde mañana para que tengamos tiempo de desayunar juntos.

—Suena maravilloso —murmuró ella—. Y yo tendré la cena lista cuando llegues.

La besó en la frente; la alegría le corría por las venas y le llegaba al corazón.

Jensen sabía que les esperaba un camino complicado, pero la llama del optimismo ardía en su corazón. Kylie era suya y no pensaba dejarla. Superarían juntos todos los obstáculos que aparecieran.

Diecinueve

Kylie canturreaba mientras se cepillaba el pelo y se maquillaba. La semana había pasado volando y, por raro que pareciera, no tenía ganas de ir a trabajar el lunes. Había disfrutado muchísimo todo el tiempo que había pasado con Jensen, los dos solos en una rutina muy cómoda.

Jensen se había ido a trabajar la mañana siguiente después de desayunar con ella y volvió puntual a las cinco. Aunque Kylie había hablado con Joss y Chessy por teléfono, no había entrado en detalle sobre su primera vez íntima con él. No le parecía bien; era algo privado, entre Jensen y ella, y no quería que el resto del mundo supiera lo que pasaba en su dormitorio o los sacrificios que hacía por ella.

Era un hombre orgulloso y si bien les había contado a sus amigas lo que se había ofrecido a hacer por ella, ahora se lamentaba. Necesitaba su consejo de sabias, una manera de hablar de sus miedos y tener el visto bueno de sus compañeras. Se arrepentía de haberles confiado semejante regalo. Era algo hermoso y valioso, el regalo más desinteresado que había recibido nunca.

Se alegró de inmediato al oír que se abría la puerta, dejó el cepillo y se echó un último vistazo en el espejo antes de salir corriendo del dormitorio hacia el salón.

La había llamado antes y le había dicho que cenarían fuera. El Cattleman's era un pub restaurante que servía una comida fantástica en un ambiente relajado. Kylie había comido allí algunas veces con Joss y Chessy antes de fijar el Lux Café como restaurante habitual.

Tenía muchísimas ganas de pasar otra noche fuera con él. No habían disfrutado del sexo como aquella primera vez hacía ya varias noches. Él no había presionado y ella tampoco. Quizá tenía miedo de que le volviera a dar un ataque y arruinara los avances que habían hecho. A saber.

Lo que sí sabía era que estaba enamorada y que no hacer el amor no había impedido que la relación se intensificara. No había necesidad de forzar las cosas cuando todo iba tan bien.

A Jensen se le iluminó el rostro al verla y a ella le encantó. Era la misma mirada que le dedicaba cada día al llegar del trabajo. Como si ardiera en deseos de verla y ella fuera lo mejor de su día.

Lo que había pensado antes de que no tenía ganas de volver a trabajar el lunes se esfumó al caer en la cuenta de que pasaría el día entero con él. Que irían juntos a la oficina y que regresarían juntos también. ¿Qué podría ser mejor que eso?

—¿Y esa mirada? —preguntó, perplejo.

Salió de su ensoñación y se lanzó a sus brazos.

—Perdona, estaba reconsiderando una cosa. Mejor dicho, estaba cambiando el planteamiento.

Él soltó una carcajada y le notó la vibración en el pecho. Cerró los ojos sin dejar de abrazarlo, disfrutando de su proximidad y la tranquilidad que le hacía sentir simplemente por estar ahí. Que volviera a casa y se pusiera tan contento al verla cada día.

—Eso que acabas de decir no tiene ningún sentido —dijo él, divertido.

Kylie se apartó, sonriendo, absorta en su sonrisa, en él. Era tan apuesto, tan masculino, tan vibrante. Se estremeció con la intensidad de su mirada y se preguntó si esta sería la noche en la que volverían a hacer el amor. No obstante, todo dependía de ella, ¿no? Ella llevaba la batuta, así que lo único que tenía que hacer era decirle que le deseaba y él estaría a su disposición.

—Bueno, antes estaba pensando que no me apetecía volver a trabajar el lunes. He disfrutado muchísimo esta semana. Luego, he reparado en que cuando vuelva pasaré el día entero contigo, que no solo te veré por la mañana y por la noche. Por eso, he corregido la primera idea de que no quería volver a la oficina y he decidido que me apetece mucho pasar todo el día contigo.

A Jensen le brillaban los ojos y sus sensuales labios dibujaron una sonrisa de satisfacción. Unos labios que quería que la besaran. Le dio un vuelco el corazón al imaginárselo tocándola. ¿Podría soportarlo? Su cuerpo y su corazón reconocieron el deseo y manifestaron también su anhelo. Su mente era lo único que la frenaba.

—Me alegro de que te lo hayas replanteado, aunque no te mentiré. Esta semana contigo ha sido fabulosa; saber que me esperabas al llegar a casa. No estaba preparado para compartirte con los demás. Todavía no. Y no creo que esté preparado el lunes tampoco, pero ya te he retenido bastante. Es hora de soltarte y dejar que te comas el mundo. Poder acompañarte será la guinda del pastel.

—Qué zalamero eres —le dijo con una sonrisa de oreja a oreja—. Bueno, ¿te cambias ya para que puedas darme de cenar después? Hace tiempo que no voy al Cattleman's. Me apetece la comida de bar con muchos carbohidratos.

—Que no se diga que le niego nada a mi chica.

Le dio un beso rápido y se fue al dormitorio; ella se quedó ahí con sus pensamientos libidinosos mirándole el culo.

¿Era una boba por sentir tanta emoción al oírle decir «mi chica»?

Se estremeció porque, boba o no, eso le llegaba al alma. Esbozó una sonrisa bobalicona; tenía las hormonas revolucionadas por su culo. Mierda, parecía una adolescente en su primera cita.

Entonces decidió ser un poco más... mucho más valiente, lo siguió hasta la habitación con la esperanza de ver cómo se cambiaba. Al parecer, ya podía añadir el voyerismo a su larga lista de cosas que pensó que nunca haría.

Se le cortó la respiración al encontrarlo en calzoncillos. Se le marcaban los músculos de la espalda al ponerse una camiseta. Mientras, ella lo observaba sin remordimientos, disfrutando de las vistas.

Bajó la vista hasta su paquete, visiblemente abultado. Sí, parecía que se alegraba de volver a casa, sí.

¿Había sido como estar en el infierno que estos días no se hubieran acostado? ¿Su primera incursión íntima había sido un mero calentón? No le gustaba la idea de ser una calientabraguetas. No era típico de ella darle falsas esperanzas a nadie. De acuerdo, no era eso exactamente lo que hacía, pero no le gustaba la idea de dejarlo insatisfecho.

Jensen se dio la vuelta y arqueó una ceja al verla en el umbral.

—¿Y ahora es cuando digo que me has pillado? —preguntó sin remordimientos.

Ella negó con la cabeza y le devolvió la sonrisa.

—No, para nada. Me gusta ver que me deseas. A menos que esa erección sea para otra persona —añadió con un aire inocente.

Él resopló.

—Sí, claro. ¿Ves a alguna otra mujer hermosa y deseable aquí?

—No. No veo a ni una sola —repuso ella, ruborizada por el halago.

Él la fulminó con la mirada por su respuesta y luego se acercó a ella y la estrechó entre sus brazos. Contra su pecho, Jensen le levantó la barbilla para besarla en la boca.

Le frotó el vientre con el pene para que notara lo duro que lo tenía. Ella bajó las manos y le acarició el paquete a través de los vaqueros.

Gimió de un modo gutural, como desesperado. Hoy, pasara lo que pasara, quería cabalgarlo. Si se salía con la suya, ninguno de los dos seguiría con ese anhelo.

Veinte

*K*ylie y Jensen estaban sentados junto a la ventana en Cattleman's. Ella había empezado con los nachos del entrante cuando un hombre apuesto se acercó a su mesa.

A su lado, había una mujer muy atractiva con ojos azules y melena azabache. Formaban un contraste muy llamativo. Parecían una pareja de modelos y estaba claro que él estaba forrado.

No parecía ostentoso ni se le antojaba de los que van haciendo alarde de su riqueza. Sin embargo, emanaba cierta autoridad y llevaba ropa de diseño muy cara y que le sentaba fenomenal. Luego estaba el pedrusco que ella llevaba en el anular, que brillaba y destellaba de tal forma que casi la dejó ciega.

De acuerdo, tal vez estaba exagerando, pero algo así era. No se equivocaba: este hombre, y su mujer, eran ricos. Se había movido en ciertos círculos con Carson y sabía distinguir esas cosas. Se le daba bien detectar a los «quiero y no puedo», los que intentaban aparentar que tenían más dinero y mejor estatus social del que en realidad tenían.

—Jensen, me alegro de verte —dijo el hombre al llegar a su mesa.

Inmediatamente atrajo a la mujer a su lado en un gesto que parecía practicado y automático. Estaba claro que era muy posesivo. Se notaba en su lenguaje corporal y en la forma que tenía de mirarla.

Jensen levantó la vista y se le suavizó la expresión al reconocerlo, esbozó una cálida sonrisa y se levantó. Kylie se quedó sentada, no sabía qué hacer. ¿Debía levantarse? En ese momento, Jensen le apretó la mano cariñosamente como si quisiera tranquilizarla.

Le encantaba eso de él. Era muy atento y estaba siempre al quite para lo que necesitara.

—Hola, Damon. Serena —le dijo a la mujer. Entonces, se dio la vuelta y miró a Kylie con aire posesivo como diciéndoles que era suya—. Os presento a Kylie, una persona muy especial para mí.

Le embargó un sentimiento de felicidad al oír semejante declaración.

—Kylie, te presento a Damon Roche y su esposa, Serena.

—Me alegro de conocerte, Kylie —dijo Damon que por el tono de voz parecía encantador. Sin embargo, en su tono también se adivinaba la autoridad que antes le había notado. Tenía algo que la fascinaba, pero la hacía recelar al mismo tiempo.

Dominación.

Le vino la palabra a la cabeza de inmediato. Su instinto le decía que era dominante. Parecía que últimamente todos los que la rodeaban eran dominantes o sumisos. El mundo era un pañuelo.

—Hola, Kylie —dijo Serena con una sonrisa en su bello rostro.

—Hola —la saludó ella con timidez—. Un placer conoceros.

—No queremos entreteneros —dijo Damon a Jensen—, pero hacía tiempo que no te veía y quería venir a saludarte al menos.

Jensen negó con la cabeza para quitarle importancia y luego le dio un beso a Serena en la mejilla. Kylie les dijo adiós con la mano, tras lo cual se dieron la vuelta y se fueron por donde habían venido. Jensen volvió a sentarse y ella lo miró inquisitivamente.

—¿Quiénes son?

—Unos conocidos —respondió sin más—. No hace mucho que los conozco. Me los presentó Dash.

Notó cierto picor en la nuca. De repente, el nombre de Damon le sonó de algo. Joss le había hablado de él. Si no recordaba mal, era el propietario del sitio al que Joss se había apuntado para su búsqueda en el mundo de la dominación. Y si Jensen lo conocía…

—¿Eres miembro de ese club? —le preguntó en voz baja.

Él no hizo amago de esconderle la verdad. Era muy directo, algo que apreciaba. Con él no tenía que preguntarse a qué atenerse, qué pensaba o qué sentía, porque nunca se guardaba o se contenía con nada.

Salvo con la dominación.

Hizo una mueca al recordar que estaba negando una parte de sí mismo por ella.

—Soy miembro, sí, pero de momento no he participado en nada y no tengo intención de hacerlo.

—Chessy, Tate, Joss y Dash van —murmuró ella.

—Sí, lo sé —repuso él tranquilamente—, pero nunca los he visto allí, de hecho, solo he ido un par de veces y fue por el tema de hacerme socio y por ver las instalaciones.

Ella hizo un mohín con los labios; dudaba de si quería saber la respuesta a la siguiente pregunta. Conocía aquel estilo de vida. Había oído las conversaciones de Chessy y Joss, de modo que tenía una buena idea de lo que pasaba allí, si bien no conocía los detalles más explícitos. Para empezar, no sabía por qué le picaba la curiosidad.

—¿Qué se hace allí exactamente? —preguntó al final—. A ver, Chessy y Joss han hablado del sitio, pero la mayoría de las veces he cambiado de tema porque no he querido saber nada. Me preocupé mucho por Joss cuando me dijo que iba a ir.

—¿Y por qué quieres saberlo? —preguntó con dulzura.

Ella se encogió de hombros.

—Por curiosidad, supongo. No es que esté interesada en ir. Mira, dejémoslo, no me gusta tampoco recordarte algo que estás negando.

—Kylie. Mírame, cielo.

Ella levantó la vista y lo miró a los ojos. Tenía una mirada intensa y completamente centrada en ella. Emanaba seriedad a raudales.

—No me estoy negando a nada. He elegido y no me arrepiento. Ya no me interesa The House. Lo que quiero y necesito está delante de mí.

Aunque lógicamente ya lo sabía, se sintió muy aliviada y se notó una tirantez en el pecho casi dolorosa.

—¿Me crees, cielo?

Ella asintió lentamente.

—Sí, te creo, pero no te mentiré. A veces, me preocupa que hayas renunciado a tanto por mí.

—Tal vez deberías fijarte en lo que he ganado —señaló—. Porque por mi parte no he renunciado a nada y he ganado mucho más de lo que había soñado.

Algo más tranquila por su sinceridad, se lanzó de cabeza.

—Entonces, ¿qué pasa allí dentro? —preguntó con aplomo. Saberlo no le haría ningún daño porque no tenía nada que ver con ella. Más que nada lo preguntaba para satisfacer su curiosidad por el estilo de vida de sus mejores amigas.

—The House es un sitio donde la gente puede permitirse todo tipo de fantasías sexuales. Hay cabida para prácticamente todo. Dentro de los límites de lo razonable, claro. No solo hay dominación y sumisión. Hay muchas otras fantasías en las que se deleita la gente. Es un lugar donde se puede disfrutar libremente y de una forma segura.

—Pero ¿es público? Quiero decir, ¿la gente que va ahí escenifica sus fantasías delante de los demás?

Era alucinante imaginarse a Chessy y Joss haciendo a saber qué delante de todo el mundo; tal vez, en parte, tampoco quería imaginarse a sus amigas en esas situaciones. Tendría que lavarse el cerebro con lejía después.

—Algunas personas sí, otras no. Hay lugar para ambas cosas —dijo encogiéndose de hombros—. Hay una sala común en la que todo es público, pero también hay salones privados con control por cámara para que nadie se haga daño.

—Suena… distinto —repuso sin saber qué decir exactamente sobre algo que no entendía. La idea de follar en público le provocaba urticaria. Si apenas podía reunir el valor para hacerlo en privado, aún menos para que lo viera todo dios.

Él soltó una carcajada.

—Es distinto, sí, pero no tanto para la gente que va allí. A ellos les resultan muy normales esas prácticas sexuales. Es lo que les funciona. Siempre y cuando sean sanas y consensuadas, cada uno va a lo suyo.

Eso la puso en su sitio, desde luego. No tenía que ser tan prejuiciosa. ¿Quién era ella para juzgar a los demás? Tenía tantos complejos que un psicólogo tardaría años en arreglárselos todos, así que no era quién para hablar.

—No tienes nada de qué preocuparte —la tranquilizó Jensen—. No me plantearía nunca llevarte allí. Ese sitio no me llama la atención. Cuando conocí a Dash y hablamos de esto, me intrigó, sí, incluso quise hacerme socio, pero luego te conocí. Bueno, mejor dicho, te conocí, luego me hice miembro y en cuanto lo fui, se me quitaron las ganas de ir. Te prefería… a ti.

—Nunca entenderé por qué —repuso ella sinceramente—. Pero me alegro de que no fueras y de que me quieras a pesar de mis problemas. Me das esperanzas. Es la primera esperanza real que he tenido en la vida de disfrutar de una relación normal. O todo lo normal que pueda llegar a ser, supongo.

No pudo evitar el tono de tristeza en su voz.

—¿Y quién necesita lo normal? —preguntó en voz baja—. Lo normal es lo que nosotros definamos y no los demás. Así que lo que cada uno considera normal puede diferir. Lo nuestro será siempre lo que nosotros decidamos. Además, si no estar contigo es lo considerado normal, que le den a la normalidad. Prefiero ser anormal contigo.

Ella sonrió; le había cambiado el humor de repente. Pensando en los planes de más tarde, parecía que quisiera sabotearse a sí misma e impedir esa normalidad de la que hablaba.

Les sirvieron la cena y Kylie empezó a comer deprisa. Pensaba en el resto de la velada y la comida era lo último que tenía en mente. Levantó la vista y vio que Jensen ya había terminado, así que habló antes de perder el coraje.

—¿Estás listo para ir a casa? —preguntó, ansiosa por seguir con los planes de la noche.

A él se le encendió la mirada. Se había dado cuenta. ¿Tanto se le notaba? ¿Tan desesperada estaba? La idea le hizo gracia porque nunca se hubiera descrito como desesperada antes de conocerlo. Ahora, lo único en lo que podía pensar era en desnudarlo y sentirlo piel contra piel.

Un escándalo cerca de la puerta hizo que Kylie levantara la cabeza de repente para ver de qué iba la cosa. Se le torció el gesto al ver cómo a un hombre visiblemente borracho intentaba sacarlo del bar su compañera, muy agobiada.

Apartó la vista porque no quería que su noche se fuera al traste.

Jensen pagó la cuenta, se incorporó y tendió la mano a Kylie. La atrajo hacia sí y se fueron derechos a la salida.

No se dio cuenta de nada hasta que él se puso tenso. Miró en dirección hacia donde miraba y se sobresaltó al oír un gruñido que le salía del mismo pecho.

La pareja que había visto antes seguía con su altercado en el aparcamiento. El hombre agarraba a la mujer por el pelo y le estaba gritando obscenidades.

Entonces observó horrorizada cómo le propinaba un puñetazo y la tiraba al suelo.

Jensen se abalanzó sobre el hombre y lo hizo caer de un golpe. Este aterrizó con dureza. Kylie se quedó inmóvil, incapaz de reaccionar mientras Jensen se arrodillaba junto a la mujer y la ayudaba a incorporarse.

Le latía el corazón con fuerza y el sudor le resbalaba

por la frente. Le entraron náuseas y se notó un nudo en el estómago; tuvo que tragar saliva para no echar la cena.

—¿Se encuentra bien? —le preguntó a la mujer con suavidad—. Deje que la ayude. Llamaré a la policía para que encierren a ese cabronazo.

—¡No! —gritó la mujer—. Váyase, por favor. ¡Lo empeorará aún más!

Su tono era suplicante. Le cogió la mano y lo zarandeó: la desesperación era patente en sus ojos y en sus palabras.

Jensen la miró, horrorizado, y luego se giró hacia donde había dejado al hombre, tumbado y mascullando.

—¿Que me vaya después de lo que le ha hecho? —preguntó él con voz ronca.

—Váyase, se lo ruego —le imploró—. Me lo llevaré a casa. No quería hacerlo. Se ha emborrachado y ya está. No tiene idea de lo que ha hecho y por la mañana ni siquiera se acordará.

—¿Y cómo le va a explicar el moratón de la mejilla? —le preguntó.

La mujer miró asustada al hombre, que ahora intentaba ponerse de pie.

—No pasa nada, ¿de acuerdo? Lárguese. Yo me ocupo de él. No era su intención. Váyase. Será peor para mí si se entromete.

Kylie pudo moverse y hablar por fin. Se acercó a Jensen por la espalda y le cogió la mano. Él se dio la vuelta como si de repente hubiera reparado en su presencia. Una oscuridad abismal se asomaba a sus ojos. La rabia lo consumía y estaba muy tenso.

—Vámonos, Jensen —susurró—. Le hará más daño. Además, no quiere que llames a la policía.

—Eso, escúchela —apremió la mujer—. No es nada que no haya vivido antes. Se arrepentirá por la mañana, si es que se acuerda.

—Pero eso no es excusa —repuso él, tajante—. Debería meterlo en la cárcel y pedir una orden de alejamiento.

Kylie le tiró de la mano, ansiosa por salir del brete antes de que la cosa empeorara. El hombre, que logró incorporarse tras varios intentos, empezó a dar vueltas, buscando a su compañera. La mujer a la que acababa de dar un puñetazo.

La mujer les lanzó una última mirada de desesperación y se acercó al hombre, al que ayudó para que no volviera a caerse.

Jensen empezó a renegar en voz baja. Le temblaba el cuerpo entero y le apretaba la mano con tanta fuerza que se dio cuenta de lo mucho que le costaba controlarse.

Tiró de él otra vez, preocupada por si decidía volver a por el hombre. Para su alivio, esta vez cedió y se fue con ella. Se giró varias veces de camino al coche; la preocupación era patente en su mirada mientras buscaba a la pareja.

—Joder, estas cosas me ponen enfermo —murmuró él mientras acompañaba a Kylie a su asiento.

Ella se sentó y se quedó mirando por la ventanilla cómo la mujer luchaba por sentar al hombre en el asiento del pasajero. Se le encogió el corazón al imaginarse el tipo de vida que debía de llevar. Una vida llena de excusas para los malos tratos de su novio o marido. Cerró los ojos; solamente quería dejar de ver las imágenes que la bombardeaban por todos lados.

La velada se había arruinado y el optimismo que sentía al principio se había desvanecido.

El trayecto hacia casa se vio enturbiado por un silencio pesado. Jensen se aferraba al volante con fuerza y tenía la vista fija al frente mientras conducía. Ella lo miró varias veces, pero él no apartó la vista de la carretera.

La tensión se podía cortar con un cuchillo. Había visto la rabia en sus ojos y luego… un profundo dolor. Su mirada era pura tristeza y congoja.

¿Qué oscuridad moraba en su pasado? No habían hablado mucho. Él había dejado entrever que tenía demonios contra los que luchar y la única vez que se lo preguntó, le contestó que ya se lo explicaría en otro momento y cambió de tema.

Ahora se daba cuenta de que necesitaba saberlo. Ahora, y no en otro momento.

Estaba tan sumida en sus asuntos que ni siquiera había pensado en los de él, algo que pensaba subsanar de forma inmediata.

Si es que se abría a ella.

Kylie hizo una mueca; no se había abierto a Jensen, pero esperaba que él desnudara su alma. Él conocía algo de su pasado, pero ella no sabía nada del suyo. Si querían tener la opción de seguir adelante, no solo tenían que acabar con los demonios de ella, sino también con los de él. Y tenían que empezar ahora mismo.

Veintiuno

Jensen abrió la puerta de casa e hizo entrar a Kylie. La miró de soslayo y vio que tenía la cara pálida y con aire compungido. Se abrazaba y se frotaba fuerte con las palmas de los nervios, suponía.

Maldijo entre dientes porque la noche se había ido al traste, sabía lo que Kylie tenía planeado; llevaba toda la semana haciéndose a la idea. Y ahora, a saber por lo que estaba pasando después del comportamiento de ese gilipollas en el aparcamiento.

Pero lo superaba el haberse ido cuando sabía que el cabronazo volvería a hacer daño a la mujer. Seguiría haciéndoselo hasta que ella contraatacara, hasta que pusiera un punto final. Sin embargo, a Jensen le era imposible darse la vuelta y fingir que no lo había presenciado.

Le revolvía el estómago.

Sus demonios habían resucitado; las barreras que había erigido ya no podían contenerlos más. Se movían bajo la superficie, tratando de abrirse paso en su mente entre arañazos.

—¿Jensen?

La dulce voz de Kylie lo hizo espabilar. Volvió a mirarla y la vio examinándolo con una expresión preocupada.

—¿Sí?

—Tenemos que hablar —dijo en voz baja.

Él asintió, incapaz de contestar.

Ella le cogió la mano y a Jensen le sorprendió el modo que tenía de tranquilizarlo, como si ella no hubiera revivido su calvario al ver a tiempo real lo que le había pasado. Con la salvedad de que lo suyo era mucho peor. Una bofetada no se acercaba siquiera a lo que el padre de Kylie le había hecho.

—Ven a la habitación —le dijo ella en voz baja—. Nos vamos a la cama y hablamos allí.

Él la abrazó; quería estar así un rato, como para asegurarse de que estaba a salvo. De que estaba con él y no en otro lugar, en otro tiempo.

La besó en la cabeza y captó el dulce olor de su pelo sedoso. Ella también lo rodeó fuertemente con los brazos, como si fuera ella quien lo consolara y no al revés.

—Buena idea —convino él.

Ella se apartó sin soltarle la mano y lo llevó al dormitorio. Cuando entraron, Kylie se fue derecha al cajón donde tenía parte de su ropa y sacó un pijama.

Se desvistió con eficiencia; le importaba poco que él estuviera mirándola. Jensen se sintió aliviado al ver que no parecía muy traumatizada por los acontecimientos de la noche. Tal vez era él el que estaba peor. Ver a ese hombre maltratar a la mujer en el aparcamiento le había traído recuerdos muy dolorosos. Le embargó una sensación de impotencia cuando ella le imploró que no llamara a la policía.

Mierda, no quería volver a sentirse así de impotente en la vida.

Le temblaban las manos. No se había dado cuenta hasta que Kylie se le acercó, entrelazó las manos con las suyas y les dio un apretón para tranquilizarlo.

—Venga, vamos a desnudarte y a prepararte para dormir —le dijo.

Él se quedó ahí de pie mientras ella le desnudaba prenda a prenda. Kylie se movía poquito a poco y de forma respetuosa, como si fuera su niñera, una función que solía desempeñar él. Y a pesar de todo, él se lo permitía, deleitándose en la sensación de que alguien lo quisiera y se ocupara de él mientras estaba vulnerable.

Solo con esta mujer podía permitirse enseñar ese lado suyo. No se había sentido seguro con ninguna otra persona para ceder el control.

Cuando estuvo en ropa interior, ella lo guio hasta la cama y apartó las sábanas para entrar. En cuanto estuvieron ahí metidos, ella se acomodó entre sus brazos y apoyó la cabeza sobre su hombro.

—¿Qué ha pasado hoy? —preguntó ella con ternura—. Aparte de lo obvio. Te lo he visto en la mirada. He visto algo más que rabia. Era pena y… desesperación. Una vez me dijiste que yo no era la única que tenía demonios del pasado. ¿Querrás hablarme de los tuyos?

Él cerró los ojos un momento, preguntándose cuánto debía contarle. No era que no quisiera contárselo o que no tuviera nada que decirle. Le preocupaba que a ella le trajera de nuevo recuerdos desagradables si le relataba su infancia atormentada.

Como si hubiera entrado en su mente y le hubiera leído los pensamientos, le acarició la mandíbula y la mejilla.

—Hoy hablaremos de ti —dijo ella con suavidad—. No quiero que te preocupes por mí. Por una vez deja que sea la fuerte. Escucharé todo lo que tengas que contar y nunca se lo diré a nadie. Puedes confiar en mí.

Él se dio la vuelta y le besó la palma de la mano.

—Ay, Kylie. Confío muchísimo en ti. Confío más en ti que en nadie, pero no quiero hacerte daño o hacerte recordar momentos dolorosos.

—No lo harás —proclamó ella, solemne—. Esta noche no. Esta noche estoy aquí para escuchar. Para ser fuerte contigo igual que tú lo has sido conmigo.

Dios, ¡cuánto amaba a esta mujer! La idea de no estar con ella le desgarraba el corazón. No quería plantearse la vida sin ella y menos ahora que la tenía. Le pertenecía y nunca la soltaría.

Ella le acarició el rostro de nuevo, despacito, rozándole la curvatura de la mandíbula.

—Te quiero. Recuérdalo. Nada de lo que digas puede cambiar eso.

Él cerró los ojos, preguntándose cómo tenía tanta suerte. ¿Quién hubiera pensado que conocería a su alma gemela en una mujer cuya dominación sexual no era posible? Claro que ella tampoco debió de plantearse nunca o pensar ni aunque fuera un momento que acabaría con un hombre dominante, así que tal vez estaban empatados.

—Espero que siempre sea así —dijo él.

Ella asintió con una mirada impregnada de sinceridad.

Él inspiró hondo para armarse de valor. Quería acabar con eso de una vez, como cuando uno se quita la tirita rápido para que no duela.

—Al igual que tú, vengo de una familia con maltrato. Mi padre…

Se atragantó con esa palabra; le dolía darle ese título tan honorable a un hombre que había sido tan monstruo.

Kylie lo miraba reflejando en sus ojos una pena tremenda. Y también comprensión. Pero se quedó callada y no lo interrumpió mientras él se esforzaba por tranquilizarse y proseguir.

—A diferencia de tu caso, su maltrato no iba dirigido a mí en su totalidad. Ojalá hubiera sido así porque lo habría podido soportar mejor. Enfocaba toda su rabia y su ira hacia mi madre y yo me veía impotente. No podía hacer más que limitarme a verlo y recoger los pedacitos después. Odiaba esa sensación, era una mierda.

Una lágrima resbaló por la mejilla de Kylie; sentía una pena casi tan grande como la de él. Entendía a la perfección lo que sentía al respecto. Conocía mejor que nadie su dolor y la desgracia de esos malditos recuerdos.

Le temblaba la mano con la que le acariciaba la mejilla, pero la mantuvo ahí en señal de amor y de apoyo.

—¿Y paró en algún momento? —preguntó bajito.

Jensen cerró los ojos; el pecho le ardía de dolor. Volver a esos momentos de su vida era demasiado. Hacía mucho tiempo que no abría esa puerta y ahora que estaba de par en par no podía controlarla.

Las imágenes se sucedían en su cabeza cada vez más deprisa hasta que casi se sentía mareado.

—No —susurró—. Nada de eso. Fue un cabronazo

hasta el último día. El día que le diagnosticaron cáncer terminal lo celebré. Joder, estaba emocionadísimo al saber que iba a sufrir una muerte dolorosa. Deseaba que la tuviera, una y otra vez. Lo único en lo que pensaba cuando sucedió fue que Dios había respondido a mis plegarias. ¿No es retorcido?

—No lo es —defendió ella—. Fue justo, era lo que merecía.

—Y mi madre... Joder, estuvo con él hasta su último aliento. Nunca lo entendí. Sin embargo, cuando todo terminó, vació las cuentas bancarias, me dio el dinero y me dijo que fuera feliz. «Sé feliz». Como si eso fuera tan sencillo. Esperaba que me fuera, que me marchara y la dejara, que siguiera adelante con mi vida, que olvidara el infierno que él nos había hecho pasar a los dos.

Ella frunció el ceño.

—¿Y lo hiciste?

Él negó con la cabeza.

—No, no podía dejarla. Me sabía mal que ella hubiera estado apoyándolo durante su enfermedad, pero no podía dejarla. No entendía por qué no se largó a las primeras de cambio. Tal vez no lo entenderé nunca.

—¿Qué pasó? —preguntó con ternura.

Había captado que había algo más.

Él se recostó, mirando al techo, sentía rabia y... traición, cierto sentimiento de traición. Era algo que no había reconocido hasta ahora. Se sentía traicionado por su madre, solo que ahora sentía que quizá ella había hecho lo mejor que había podido.

—Se fue —dijo tratando de que no se le notara la tremenda tristeza que le embargaba—. Como yo no quería irme y hacer mi vida, lo hizo ella.

Kylie se quedó con la boca abierta. La rabia se asomó a su mirada brevemente, pero logró contenerse.

—¿Se fue así sin más?

Él asintió.

—Nunca he vuelto a verla o a saber de ella. La estuve

buscando un tiempo. Al acabar la universidad, cuando conseguí un trabajo y empecé a ganar dinero. Quería ver cómo le iba. Quería devolverle lo que me había dado, porque ella se quedó sin nada. Siempre me preguntaba cómo se las apañaba, pero desapareció. No sé si está viva o muerta. En mis momentos de bajón, me pregunto si no se fue para morir. Si tal vez lo hizo ella misma. Quizá quería ahorrarme más dolor. ¿Quién sabe? Sé que es algo horrible de imaginar, pero no se me ocurre otra explicación.

—Ay, Jensen —le dijo con una voz cargada de emoción—. Lo siento mucho. Es horrible que no sepas nada. No imagino cómo debe de ser eso. Necesitas cerrar la historia y no tienes forma de conseguirlo.

—Solo quiero saber que está bien —repuso en voz baja—. Que es feliz, quizá. A veces creo que he hecho las paces con todo y otras, me doy cuenta de que nunca estaré en paz con nada.

—Ya, es comprensible.

—Y a veces me pregunto si me echaba la culpa —dijo, más envalentonado— por no protegerla. Por permitir que le hiciera daño. Si me odiaba por mi debilidad.

Kylie se le acercó con los ojos como platos.

—¡Jensen, no! No eras más que un niño. Tu padre y tu madre tenían que protegerte a ti. Protegerla a ella no era responsabilidad tuya. No puedes responsabilizarte por lo que él le hizo.

—Ojalá pudiera creérmelo —dijo, cansado—. Ojalá pudiera decirle que lo siento. Era una buena mujer, pero la habían maltratado tantas veces que tenía el espíritu por los suelos. Estaba desolada y al final creo que se sentía vacía. Tal vez no quería que la viera así. Quizá por eso intentó que me marchara y como no lo hice, lo hizo ella. Supongo que no lo sabré nunca.

Kylie lo abrazó y lo atrajo hacia sí. Jensen le notaba las lágrimas en la mejilla. Había llorado por él.

Lo último que quería era hacerle daño al obligarla a recordar. Él también la abrazó y hundió los dedos en su pelo.

—Dos almas heridas que encuentran la luz —susurró ella contra su cuello—. Nos necesitamos, Jensen. Nos entendemos demasiado bien.

—Te necesito —dijo él. Sus palabras eran una bendición—. Te necesito muchísimo, cielo. Ni siquiera logro explicarme cómo puede ser que me importes tanto en tan poco tiempo. No solía creer en el destino, pero está claro que eres mía. Estás hecha para mí.

—Igual que tú para mí—dijo ella, inclinada sobre él.

El pelo le caía por los hombros y por el rostro unos mechones le acariciaban suavemente la cara. Entonces, Kylie acercó los labios a los suyos, aspirándolo mientras lo besaba.

Era una sensación cálida y muy dulce. Tranquilizadora. Ella lo lamía, lo sorbía; bebía de él.

Kylie dudó un momento y luego la tristeza enturbió su mirada.

—Voy a por la cuerda.

Sus palabras eran más una disculpa que una declaración de intenciones. Se disculpaba por necesitar la dichosa cuerda. ¿No sabía que se ataría él mismo a la cama el resto de su vida si esa era la única forma de tenerla?

—En el cajón —dijo él mirándola a los ojos intensamente como diciéndole que no se disculpara. Que no tenía que pedir perdón por esto nunca.

Ella se bajó de la cama y volvió al cabo de un momento con la cuerda. Con cuidado, le ató las muñecas al cabecero. No quería mirarlo a los ojos y a él le desgarraba el corazón que ella sintiera vergüenza por la forma en que hacían el amor.

—Kylie, cielo. Mírame, por favor.

Ella terminó de apretar el último nudo, se sentó sobre los talones y al final levantó la vista poco a poco hasta llegar a la altura de sus ojos.

—A mí me parece bien. Quiero que a ti también te lo parezca. Y no hace falta que lo hagamos ahora. Ha sido una noche dura. Me conformo con abrazarte.

Ella sacudió la cabeza; sus ojos adoptaron una expresión amorosa. Se inclinó y lo besó en los labios, de los que tiró de un modo suave y juguetón.

—Quiero hacerte el amor ahora mismo —le susurró en la boca—. Necesito demostrarte mi amor y no decirlo sin más. Has sido muy fuerte conmigo. Ahora me toca a mí serlo por ti. Quiero que te apoyes en mí por una vez. Deja que lo haga. Por nosotros y por ti.

Él masculló; el pene amenazaba con agujerearle los calzoncillos. Estaba desesperado por ella. La necesitaba. Anhelaba su tacto, su roce, su dulzura y su luz. Esta noche más que nunca.

Ella le rozó la barbilla con los labios y por el cuello, bajó por su pecho y más allá, sobre su abdomen terso y liso. Él hizo una mueca; sus músculos se contraían mientras su lengua trazaba el camino por su piel.

Le hizo el amor dulcemente con la boca como nunca se lo habían hecho. Ardía en deseos por ella; ese deseo era algo casi tangible, lleno de desesperación.

Kylie pasó los dedos por la tira elástica de los calzoncillos y tiró hacia abajo. Se le empinó la polla, libre de la opresión de la prenda interior. La humedad le perlaba el miembro y le salía por la punta. No tenía control cuando estaba cerca de ella, ya fuera dado por voluntad propia o no.

Le lamió la parte inferior del pene, arriba y abajo, trazando círculos en sus testículos. Él se controlaba todo lo que podía, pero no podía evitar ir hacia ella, aunque conocía la imposibilidad de algo así. Un día. Un día él la tocaría como lo hacía ella. La acariciaría y sacaría todo ese fuego que Kylie llevaba dentro.

Con la lengua, le rodeó el prepucio y luego lo succionó con fuerza. Puso los ojos en blanco al tiempo que el placer le hacía explotar el vientre. Ella se incorporó un poco y dejó salir la punta de sus labios.

Los ojos de Kylie brillaban con decisión. Se subió la parte superior del pijama, que se quitó al momento por la cabeza. Dejó expuestos sus preciosos pechos. A él se le cortó la respiración, temeroso de albergar esperanzas cuando bajó las manos hacia los pantalones.

Tardó un momento en quitarse los pantalones del todo y luego se quitó las braguitas, con lo que se quedó completamente desnuda.

Él contempló hasta el último centímetro de su piel, sus curvas sinuosas y sus pechos turgentes; era todo un festín que le hacía salivar y ansiar lamerla y tocarla.

—Cielo, no hace falta que hagas nada.

Había fuego y determinación en su mirada.

—Sí, es necesario y quiero hacerlo. Lo necesito.

—Pues tómate tu tiempo —le instó—. Tenemos toda la noche.

—Tendrás que ayudarme —le dijo, vacilante—. Dime qué hacer.

Se le derritió el corazón. Se estaba esforzando mucho y él nunca la había amado tanto como entonces.

—Siéntate a horcajadas —le pidió con una voz ronca—. Ponte la polla entre los muslos. Deja que descanse sobre tu vientre. Lo haremos despacito y con calma, ¿de acuerdo?

En ese momento cayó en la cuenta de algo y soltó un taco. Necesitaban un condón, joder. Le cegaba la necesidad y las ganas de tenerla piel con piel, sin barrera entre ambos, pero tampoco quería que se quedara embarazada. No ahora que tenían tanto que resolver en su relación.

—Kylie, cielo, ¿utilizas algún método anticonceptivo? Tengo condones en el cajón, junto a la cuerda.

Ella asintió despacio.

—No pasa nada —susurró—. No quiero usar ninguno. A menos que tú quieras. No sé, ¿te parece?

Él se sintió tremendamente aliviado y casi mareado.

—Sí, cielo. Estoy bien. Hace tiempo que no lo hago.

Ella esbozó una sonrisa.

—Yo nunca lo he hecho.

Aunque él ya sabía que no era virgen físicamente, en todos los demás aspectos sí lo era. Lo único que le faltaba era esa fina membrana, esa barrera, pero por lo demás era completamente inocente.

Deseaba que las cosas fueran distintas. Que su primera experiencia sexual fuera con ternura y con amor. Quería demostrarle lo bonito que podía ser con alguien que la quisiera igual que él. Lo único malo de que ella tuviera el control era que no podía devolverle todo lo que ella le estaba dando a él.

—Tócate —dijo él, con un tono bajo y tranquilizador—. Quiero asegurarme de que estás preparada para mí, cielo. No quiero hacerte daño.

Ella dudó un momento; de repente, era consciente de sí misma y tal vez le dio cierto apuro, pero al final bajó una mano y se la colocó entre las piernas.

Con los nudillos le rozó a él las ingles; su tacto era ligero como el de una pluma. Ella suspiró suavemente al tiempo que empezaba a tocarse. Jensen se moría por ser quien la tocara. Tenía la piel ardiendo y notaba como si hubiera un millar de hormigas bajo su superficie. Estaba tenso e inquieto; la idea de estar en su interior estaba a punto de empujarle al precipicio.

Contuvo la respiración, decidido a recobrar la compostura. Esto tenía que ser perfecto para ella. Se aguantaría el orgasmo hasta que lo hiciera ella.

—Veamos —murmuró él.

Ella abrió los ojos despacito y vio en ellos una expresión de placer y pasión. Era una mirada embriagada que lo alivió mucho. Tenía tantas ganas como él.

Kylie levantó la mano; le brillaban los dedos. Era una invitación para que los probara. Esta vez no tuvo que pedírselo. Tomó la iniciativa y le tendió la mano, pasándole el dedo por los labios.

Él le chupó la punta y luego le succionó el dedo con avidez. Le dio un mordisquito antes de soltarlo.

—¿Estás preparada para mí?

—Sí —dijo ella con la respiración entrecortada—. Dime qué debo hacer, Jensen. Quiero que sea perfecto para ambos.

—Contigo solo puede ser perfecto. Levanta las caderas y

guíame. Quiero estar dentro de ti, pero hazlo despacio. Poco a poco, hasta que te acostumbres a tenerme dentro.

Se mordió el labio inferior mientras se levantaba un poco. Cogió la base de su polla y de repente él se sintió arropado por su calor. Su sedosa suavidad le envolvía el prepucio. En la vida había sentido nada tan perfecto.

—Así, bien —la animó él—. Un poquito más. Poco a poco.

Ella empezó a bajar, centímetro a centímetro, y a acogerlo como un guante aterciopelado. A medio camino, miró hacia abajo y abrió mucho los ojos.

—No creo que esto vaya a funcionar —dijo, temblorosa.

Él sonrió, esforzándose mucho por no levantar la cadera; se obligó a respirar hondo para tranquilizarse y quedarse quietecito mientras ella lo acomodaba.

—Funcionará. Tócate con la otra mano. Tienes que estar más mojada. Estás demasiado tensa todavía, pero, ay, qué bueno es esto…

Kylie obedeció, arrodillándose bien mientras empezaba a masajearse el clítoris. Murmuraba de placer; cerró los ojos. Notó el estallido de humedad alrededor de la polla, se notó más abierta, como si quisiera engullirlo entero.

Se bajó un centímetro más y ambos gimieron. Él estaba a punto. Muy a punto.

Y entonces terminó de descender; se quedó sentada y bien encajada en su miembro.

Dio un grito ahogado, con los ojos como platos al notar su pene en todo su esplendor. Para él también era abrumador. Jensen apretaba la mandíbula y luchaba con todas sus fuerzas por no correrse.

—Cabálgame, cielo. Haz lo que te haga sentir mejor. Quiero que te corras. Tócate si lo necesitas. Lo que sea. Eres tan hermosa. Nunca he visto nada más bonito que a ti cabalgándome.

Ella se movía, inquieta, hacia delante y luego hacia atrás. Tras algunas tentativas, encontró su ritmo y empezó a moverse hacia arriba y hacia abajo; se levantaba y se bajaba después, despacito, a lo largo de su erección.

Tenía la polla entera cubierta de su miel. Mojada por su excitación y su líquido preseminal. Cada vez que lo tenía más adentro, notaba la suave calidez de su coño.

Y qué estampa tan bella la de esta mujer menuda, con curvas, encima de su cuerpo, mucho más grande. El pelo le caía por los hombros; parecía que jugara al escondite erótico con sus pezones.

La idea de que él era su primer amante auténtico —el primer hombre en el que ella confiaba lo suficiente para hacer el amor— era asombrosa. Para Jensen, era un regalo de incalculable valor que guardaría para siempre. Lo protegería como oro en paño incluso con su vida.

—Estoy a punto —dijo ella entre jadeos—. Quiero que te corras conmigo.

—Siempre estaré contigo, cielo. Córrete para mí y yo me sumo en breve. Solo suéltate.

Ella se inclinó hacia delante, apoyó las palmas en su pecho y empezó a moverse más deprisa, tomándolo deprisa y con fuerza. Respiraba entrecortadamente y tenía el rostro enrojecido del calor y la excitación.

Jensen se notaba a punto de explotar, era como si se avecinara una tormenta enorme. Sentía cómo temblaba y lo apretaba con fuerza mientras gritaba en pleno orgasmo. Eso estimuló el suyo. Se vio incapaz de hacer más que levantar las caderas, una y otra vez; la penetración era casi automática por la simiente que le lubricaba el sexo.

A Jensen se le nubló la vista. La habitación se le antojaba cada vez más pequeña hasta que solo estaba ella. Solo la veía a ella; ella era lo único que notaba, que conocía. Estiró los brazos contra las cuerdas que lo sujetaban. Quería acercarse a ella; estaba desesperado por abrazarla, por tocarla.

Ella se inclinó hacia delante; el pecho le subía y bajaba pesadamente y respiraba con dificultad. Él seguía en su interior, empalmado y excitado. Estaba hipersensible y los latidos que notaba en su sexo lo volvían tan loco que casi podía notar otra oleada de éxtasis.

Sin embargo, aguardó lo más tranquilo que pudo. Esperó

a que lo desatara para poder abrazarla. Para poder tocarla y dejarse llevar por la sensación posterior al coito, que había sido algo tan salvaje como hermoso e inocente.

Al final, ella se incorporó; él contempló el ligero bamboleo de sus pechos. Eran igual que ella, pura perfección, y más con esos pezones rosados tan apetecibles. Se le hacía la boca agua de pensar en lamerla entera y succionar esos pezoncitos.

Ella se afanó en desatarle las muñecas. Cuando por fin estuvo libre, le dio un fuerte abrazo, haciendo caso omiso del entumecimiento que notaba en las manos.

Se dio la vuelta y quedaron cara a cara, aún la penetraba. No quería salir; quería estar un rato más conectado a ella, sumidos en una intimidad plena.

La besaba con ganas moviendo las caderas hacia delante y hacia atrás. Entonces, al darse cuenta de lo que hacía, se quedó quieto con una mueca de arrepentimiento.

Como si supiera lo que estaba pensando, ella le puso un dedo en los labios.

—No pasa nada —susurró—. Sé que no me harás daño.

Él cerró los ojos y la atrajo hacia sí, con cuidado de no sacarla. Le había prometido que le daría control absoluto. Si hacían el amor sin ataduras, sería porque ella así lo quisiera. Y no él.

—Te quiero —le susurró Jensen al oído—. Nunca he querido a nadie así.

Ella se acurrucó entre sus brazos y lo besó en la nuca.

—Yo también te quiero, Jensen. Gracias por compartirte conmigo esta noche. Por confiar en mí y contarme tus demonios.

Lo que quedó en el aire fue que ella no le había contado sobre los suyos, pero no se lo tomó personalmente, ni se enfadó ni se sintió decepcionado. Lo que le había dado esta noche era infinitamente más valioso. Ella se había regalado a sí misma y eso siempre sería suficiente.

Veintidós

*J*ensen se despertó sobresaltado; el corazón le latía con fuerza en el pecho. Tenía la frente empapada de sudor. Se sentó con la espalda recta y el pulso tan acelerado que se notaba hasta en los oídos. Inmediatamente buscó a Kylie, que, para su gran alivio, encontró durmiendo plácidamente a su lado.

Se recostó de nuevo en la almohada y le vinieron arcadas. Inspiró hondo y espiró por la nariz con fuerza y luego volvió a tomar aire mientras trataba de borrar esas imágenes horribles de su cabeza.

Cerró los ojos, como si eso le protegiera de los recuerdos. De ver los maltratos a su madre mientras gritaba, lloraba y le imploraba a su padre que dejara de hacerle daño a su mamá. Joder, ¿por qué no podía quitárselo de la cabeza? Solo quería paz. No quería volver a ser ese niñito incapaz de evitar que un monstruo maltratara a su madre.

Ojalá no le hubiera contado nada de su pasado a Kylie. Ojalá lo hubiera dejado oculto, suprimido tras años de un control esforzado. Apretó los puños y volvió a relajar la mano después, en un intento de aliviar parte de esa horrible presión que notaba por todo el cuerpo.

Esos recuerdos lo ponían enfermo. No quería más que desterrarlos de su mente para siempre, pero no era posible. Había abierto la puerta y no había vuelta atrás. Ahora, tendría que volver a enfrentarse a eso y empezar el doloroso proceso de supresión.

¿Cómo podía ser bueno para Kylie cuando ni siquiera

había podido proteger a su propia madre? ¿Y cómo podría confiar ella en él después de lo que le había contado?

La miraba en la penumbra; contemplaba cómo le subía y le bajaba el pecho despacito. Quería tocarla, pero se contuvo porque la violencia seguía fresca en su memoria y no quería que esa emoción llegara a ella de ninguna forma. No quería desvelarla y que se asustara; no quería despertarla de una pesadilla y que de repente le tuviera miedo.

Miró al techo; ya se había resignado a pasar la noche en vela. El dolor le quemaba el alma, era el más fuerte que hubiera sentido nunca. Si desnudar el alma para otra persona era tan liberador, ¿por qué se sentía encarcelado otra vez?

Veintitrés

$\mathcal{K}$ylie se sentía con ganas de comerse el mundo ese lunes por la mañana de camino al trabajo con Jensen. Se sentía muy optimista, un sentimiento que le había sido ajeno hasta entonces.

Bueno, no había podido hacer el amor con él sin atarlo a la cama. Todavía. Pero habían hecho el amor y eso era un paso enorme para ella.

Estaba… feliz. ¿Cuándo fue la última vez que pudo decirlo y además de verdad? La versión antigua de la felicidad era como una concha; para ella equivalía al mero hecho de existir. Hasta que empezó con Jensen, no se dio cuenta de lo mucho que estaba dejando pasar la vida mientras escondía la cabeza bajo el ala.

El fin de semana había sido un oasis. No habían vuelto a hacer el amor desde el viernes por la noche y ambos parecían reacios a presionar demasiado pronto, pero la intimidad se había vuelto cada vez más intensa, de modo que Kylie suponía que no pasaría mucho tiempo.

Y tal vez ella reuniría el valor suficiente para no atarlo a la cama.

Le preocupaba Jensen desde que este le contara su infancia, pero aparte de encontrarlo algo más callado de lo habitual el sábado por la mañana, no parecía estar mal.

Había intentado que el humor y el ambiente fueran ligeros entre ambos; no quería verlo retroceder a la oscuridad de su pasado. Le dijo que lo quería unas mil veces y se había mostrado muy afectuosa.

No quiso contarle nada acerca de su infancia, no porque no confiara en él, sino porque la confidencia, a Jensen, le había dejado emocionalmente desgastado y no quería añadir más presión. Con el tiempo, lo haría, pero cuando fuera el momento más propicio. No tenía muchas ganas, pero tampoco lo evitaría.

Enfrentarse a las cosas. Eso es lo que trataba de hacer y lo que haría con ayuda de Jensen. Con su amor y su apoyo. ¿Qué más podía pedir?

Alrededor del mediodía, Dash sacó la cabeza por la puerta de su despacho.

—¿Se puede? —preguntó desde el umbral.

Ella le hizo un gesto para que entrara.

—Claro. Dime.

Se sentó en la silla en la que se había sentado Jensen hacía media vida —o eso le parecía ahora—, en ese momento en el que quería sacárselo de encima. Pero ¿ahora? Ahora agradecía que entraran tanto él como Dash. Sobre todo Jensen, claro.

—Tienes buena cara, Kylie. Pareces feliz.

Ella parpadeó, incrédula, y empezó a sentir cierta incomodidad ante el cariz personal que estaba tomando la conversación. Sin embargo, la expresión de Dash era de pura sinceridad, así que se le pasaron las ganas de cerrarse en banda. Era lo que hubiera hecho en el pasado, seguro, pero ahora se estaba probando la nueva Kylie. Alguien que podía abrirse a sus amigos. Y a la gente en general.

Nunca sería el aire fresco, burbujeante y cordial que era Chessy. Tampoco sería la dulce y cariñosa Joss. Pero se le estaban pegando algunas cualidades, así como las de Jensen, y se sentía más relajada en su círculo de amigos. Se veía más dispuesta a bajar la guardia o, al menos, a perder ese aspecto malhumorado de su personalidad. Cosas que antes había usado como mecanismo de defensa.

—Soy feliz —contestó.

—Joss quería que os invitara a ti y a Jensen este viernes. Chessy y Tate también vienen. Nada ostentoso, no te creas. Le apetece cocinar algo y que vengan sus amigos.

A Kylie se le encendieron las mejillas y bajó la vista, avergonzada por cómo había terminado la última visita a casa de Dash.

—Pues me apetecería mucho —dijo en voz baja—. Y seguro que a Jensen también. Y Dash, ya le pedí perdón a Joss, pero nunca te lo pedí a ti por cómo reaccioné cuando me contaste que Jensen sería el nuevo socio.

—Eso es agua pasada —dijo Dash en un tono cálido—. Sé que no querías hacer daño a Joss. Yo me cabreé bastante en aquel momento, pero sé que no había maldad. Sé que quieres a Joss y que nunca le harías daño a propósito.

—Intento mejorar como amiga. Ser mejor persona —añadió—. Sé que no soy fácil de querer.

Dijo esto último con una sonrisa, sorprendida por poder bromear con una cuestión tan sensible como esa.

Dash soltó una carcajada.

—Ya, ni yo. Creo que todos lo sabemos ahora. Yo también quiero disculparme.

Ella levantó la mirada y arqueó las cejas con un aire confundido.

—¿Y por qué?

—Por aprovecharme de ti.

—¿Cómo?

—Trabajas mucho. Muchísimo. Y Jensen tiene razón, eres muy capaz de contribuir más en esta empresa y no limitarte solo a realizar las gestiones como asistente administrativa. Leí la propuesta que preparaste para el contrato S&G y me quedé muy impresionado.

Kylie se ruborizó, incómoda por ese halago tan sincero a la par que muy contenta, evidentemente.

—También son ideas de Jensen. El mérito no es solo mío.

—Pero es que ese es el trabajo de Jensen —añadió Dash secamente—. De él ya me lo espero. Me sabe mal haber tenido que esperar a este toque de atención para darme cuenta de que podrías ser un activo indispensable como socia.

Ella sonrió.

—No pasa nada, Dash. Antes tampoco hubiera estado

preparada. No tenía suficiente confianza en mí misma, pero la tendré. Estoy trabajando en ello. Y no pienso rechazar ni oportunidades ni retos. Tampoco quiero que se me den cosas que no me haya ganado. Quiero ganarme vuestra aprobación, tuya y de Jensen, y tal vez con el tiempo, la calidad de asociada.

—Mi aprobación ya la tienes. Siempre la has tenido. Tanto Jensen como yo depositamos nuestra confianza en ti. Reconozco que él supo ver tu valía de inmediato, cosa que yo no, y me avergüenza.

—Es así de bueno —dijo ella esbozando una sonrisa al tiempo que recordaba lo mucho que creía en ella cuando ni ella creía en sí misma.

—Me alegro mucho por ti —añadió Dash en voz baja—. Sé que no te ha sido fácil desde que Carson murió. Yo también lo echo de menos. Era mi mejor amigo. Él, y tú, sois casi mi familia.

Ella tragó saliva para deshacer el nudo que tenía en la garganta, orgullosa de la forma en que podía mantener la compostura cuando hablaban de su hermano. Estaba progresando. Había avanzado mucho en tan solo unas semanas. Gracias a Jensen.

No era cosa suya solamente, claro. Ella también se lo había trabajado mucho. Era lo que tenía que hacer. Nadie más podía salvo ella. Tenía que estar dispuesta a progresar, cosa que hasta entonces no había estado, pero Jensen le había dado el empujoncito que necesitaba. Sin él, seguiría escondiéndose del mundo, pasando de un día a otro mecánicamente y sin vivir de verdad.

—Lo echo mucho de menos —dijo con un nudo de dolor en el corazón—. Pero al igual que hizo Joss, tengo que dejarlo marchar. No puedo dejar de vivir mi vida solo porque se apagara la suya.

—Me alegro de oírtelo decir, cariño. Carson hubiera querido que fueras feliz por encima de todas las cosas.

—Lo sé —respondió bajito—, y es lo que intento. Al final lo conseguiré.

Jensen sacó la cabeza por la puerta y frunció el ceño al ver a Dash.

—¿Me he perdido algo? ¿Qué haces en el despacho de Kylie?

Dash puso los ojos en blanco.

—Estábamos hablando. Ya sabes, manteníamos una conversación. Algo que suelen hacer los compañeros de trabajo.

Jensen lo miró con recelo y Kylie sonrió; le hacía gracia el brillo de posesión que captaba en sus ojos. Era absurdo que se sintiera así porque lo hubiera visto en su despacho; Dash estaba felizmente casado con su mejor amiga. Aun así, no le importó que marcara territorio.

—Le decía a Kylie que Joss quiere que vengáis a cenar el viernes —dijo Dash cuando Jensen entró.

Este se apoyó en el escritorio de Kylie y le tomó la mano. Notó su calidez de inmediato allí donde descansaban sus dedos. Había mejorado muchísimo. Antes, si Jensen hubiera entrado en su despacho y hubiera traspasado los límites de su relación profesional, tal como lo hacía ahora, le hubiera dado una patada en los huevos.

Joder, se estaba volviendo una niña total. Como si no pudiera existir sin un hombre que la salvara. Hizo una mueca al pensarlo. Solo porque Jensen fuera tan comprensivo y servicial no significaba que ella tuviera que volverse una boba que no podía hacer nada ni existir sin él.

Claro que tampoco quería existir sin él y esa era la verdad. Quererlo y apoyarse en él no implicaba que fuera indefensa o dependiente. Solo quería decir que era mejor con él.

¿Acaso todas las parejas no son mejores gracias a sus novios o cónyuges? Si uno era bueno, dos unidos contra el mundo eran aún mejor. Así lo entendía ella, al menos, pero no era ninguna experta en relaciones vistas las cosas que hacía para evitarlas siempre.

—Vendrán Chessy y Tate —prosiguió Dash—. Joss quiere agasajaros con una cena. Buena comida, buen vino y buenos amigos.

Jensen sonrió contento con la invitación de Dash, pero

con lo que hizo a continuación se ganó aún más su cariño. No solo aceptó su invitación sin pensárselo dos veces, sino que se volvió hacia ella y le preguntó:

—¿Qué te parece? ¿Te apetece el plan?

Ella tomó la iniciativa y entrelazó los dedos con los suyos. Lo amaba por controlar su tendencia dominante con ella. Por no precipitarse, tomar el mando y decidir por ella. Le preocupaba mucho que se negara esa parte intrínseca, una parte que le hacía ser quien era, por ella. Seguía sin comprender la magnitud de querer a alguien lo suficiente para comprometerse hasta ese extremo.

—Suena fantástico —dijo ella, sonriéndole.

Jensen le dijo a Dash:

—Pues allí nos vemos. ¿A qué hora? ¿Quiere Joss que llevemos algo?

Dash se incorporó para dejar claro que se iba a su despacho para dejarlos a solas.

Debería ser incómodo que uno de los jefes se marchara de su despacho para que pudiera estar sola con otro de los jefes. Por suerte, ella había dejado de ser tan susceptible y picajosa. ¿Quién hubiera dicho que podía ser tan agradable y tolerante?

—Con que vengáis bastará —respondió Dash—. Sé que Joss tirará la casa por la ventana en cuanto a comida. Ya tiene el menú pensado. Yo de vosotros vendría con hambre.

Dicho eso, se dio la vuelta y se marchó. Jensen se giró y apoyó el trasero en la mesa para verla cara a cara.

—Ven aquí —le dijo bruscamente. La ayudó a levantarse de la silla y la colocó entre sus muslos.

La atrajo hacia sí y la abrazó con fuerza. Luego, se apartó un poquito y la besó con ganas, poco a poco y con dulzura. Cuando terminó, la había dejado sin aliento. Kylie estaba sonrojada y tenía las hormonas por las nubes.

—Te he echado de menos —murmuró.

Ella se echó a reír.

—¡Si me has visto hace media hora cuando me has invitado a comer contigo!

Su expresión era de lo más sombría.

—Han sido los treinta minutos más largos de mi vida.

Ella puso los ojos en blanco, pero se dejó querer entre sus brazos, apoyándose en su pecho. Suspiró, maravillada al reparar en lo ligera que se sentía. Como si fuera mucho más libre. El pasado ya no le pesaba como antes con esa presión insoportable con la que había vivido durante tanto tiempo.

Las pesadillas ya no poblaban sus sueños. Cada noche se iba a la cama con Jensen, que era una barrera sólida al mundo exterior y a su pasado.

Y la amaba.

Con cada día que pasaba era más consciente de que lo suyo iba para largo. No quería gafarlo todo con una confianza y un optimismo desaforados, pero por primera vez podía mirar hacia delante y contemplar un futuro nuevo para ella, distinto a lo que siempre había imaginado.

Un hombre que la quería a pesar de sus problemas. Unos buenos amigos. Un ascenso muy prometedor.

Por fin recuperaba las riendas de su vida.

Veinticuatro

$\mathcal{K}$ylie y Jensen salieron del coche frente a la casa de Dash y Joss. Jensen fue a buscarla a medio camino y le tendió la mano en un gesto automático que le encantaba. Ella se la tomó con gusto y le dio un apretón.

Llevaba una sonrisa boba en la cara que no era nada típica de ella. Ay, Dios, hasta podría decirse que estaba risueña. Sacudió la cabeza al reparar en ese concepto. Tal vez se le estuvieran pegando más cosas de Chessy de las que creía.

O tal vez era feliz y punto.

—Estás guapísima —le dijo Jensen tras llamar al timbre.

La repasó con la mirada cual pintor con su brocha, sin perderse ni un solo centímetro.

—¿Y sabes qué más estoy? —preguntó con la misma sonrisilla.

—¿Qué?

—Feliz.

Su voz tenía un tono petulante bastante claro. Se sentía valiente, un sentimiento muy novedoso para ella. ¿Feliz, valiente y segura de sí misma? Era el fin del mundo.

Jensen le dedicó una sonrisa afectuosa y la besó justo en el mismo instante en que se abría la puerta.

—¡Hola, pareja! —los saludó Joss, con un rostro y una mirada que brillaba con la misma alegría de la que se sorprendía Kylie—. Va, entrad. Ahora que ya estáis todos, podemos empezar a cenar.

Kylie entró y abrazó a su cuñada. Joss parecía asombrada y encantada a partes iguales con esa muestra de afecto espontánea. La antigua Kylie era reservada y no era muy partidaria del contacto físico. La nueva se estaba esforzando por demostrar a sus amigos lo mucho que significaban para ella.

—Estás preciosa. El matrimonio te sienta fenomenal —le dijo Kylie.

Jensen besó a Joss en la mejilla.

—Completamente de acuerdo con ella. Estás radiante. No hay nada mejor que una mujer feliz.

Joss se ruborizó, pero le gustó el halago de Jensen.

—Yo también estoy de acuerdo —convino Dash al tiempo que se acercaba a ellos.

Rodeó a su esposa con los brazos y la atrajo hacia sí. El amor que se tenían era obvio; antes, la hubiera incomodado enormemente. Ver a sus amigos tan felices y enamorados reforzaba el hecho de que ella nunca había tenido nada semejante. Bueno, eso era lo que pensaba antes.

—Una mujer feliz es una mujer hermosa. Tengo suerte de poder hacerla feliz —añadió Dash con una sonrisa.

Entraron en el salón, donde Chessy y Tate estaban sentados. Chessy se levantó y corrió a abrazar a Kylie.

—¡Estás espectacular! —exclamó—. ¡Ay, Dios mío, mira qué zapatos! ¡Traed una cámara, ¡rápido! Hay que dejar constancia de esto: ¡Kylie se ha puesto tacones!

Todos se echaron a reír. Jensen le pasó un brazo por la cintura y la acarició. A Kylie le preocupaba ir demasiado bien vestida para la ocasión. Al fin y al cabo, solo iban a cenar a casa de sus amigos. Sin embargo, ahora se alegraba de haber hecho el esfuerzo.

Estaba guapa. Modestia aparte, sabía que estaba muy guapa. Y ahora que se había reconciliado con los tacones, podía caminar bien sin temor a caerse.

—Me encantan esos zapatos —dijo Joss con un aire melancólico—. ¿Dónde los has comprado?

Dash gruñó.

—Gracias, Kylie. Ahora me va a desplumar.

Joss frunció el ceño y le dio un codazo; Kylie se echó a reír.

Joss no necesitaba para nada el dinero de Dash. Tenía el que le había dejado Carson más la parte proporcional de los beneficios de la empresa. Ella, al igual que Kylie, había heredado una parte de la consultora de Dash, y ahora también de Jensen.

Kylie tenía su parte en el banco; no quería tocar ese dinero. Con su sueldo pagaba las facturas y lo que necesitara en su día a día. Estaba invertido y casi nunca pensaba en él, pero tal vez pudiera hacer algo divertido con esas ganancias ahora que tenía otra perspectiva de la vida. Como pegarse un buen viaje, Jensen y ella.

De repente había tanto por hacer y experimentar... Ver la vida desde otro prisma hacía que las cosas tomaran otro cariz. Veía el mundo en color y no en un triste gris.

—Va, id al comedor —les instó Joss con un ademán—. Iré a la cocina para empezar a servir.

—Yo te ayudo —dijo Dash, que la siguió al momento.

Kylie se sentó a la mesa junto a Jensen; era grande y había sitio para doce comensales. Chessy y Tate se sentaron enfrente; Dash presidió la mesa y dejó una silla a su derecha para Joss, que se sentaría al lado de Kylie.

Mientras colocaban los platos se sucedían los «ohhh» y «ahhh» de admiración. Joss se había superado con el festín de esta noche. Mientras contemplaba la mesa, Kylie se dio cuenta de que eso debía de ser muy parecido a unas vacaciones, con amigos. Más que amigos, familia. Se había pasado tanto tiempo emperrada en que Carson era su única familia que ahora que no estaba y que no tenía a nadie, se daba cuenta de que la familia era lo que uno creara. Esta era su familia ahora: Joss, Dash, Chessy y Tate. Y Jensen.

Joss había preparado codornices asadas con un marinado que olía a gloria bendita. Había unas tres cazuelitas, patatas, verduras y, por supuesto, una botella de vino del bueno.

—¡Mmm, qué pinta! ¡Yo quiero! —exclamó Kylie cuando Joss destapó una de las cazuelitas que contenía macarrones caseros a los cuatro quesos.

—Échale un ojo —le aconsejó Dash—. Marca el territorio cuando se trata de los macarrones con queso de Joss. Los demás tenemos que luchar por las sobras.

—Puedes llevarte lo que quede, Kylie —la tranquilizó su amiga.

—No quedará nada después de que se sirvan todos —repuso ella algo quejumbrosa.

—He hecho otra solo para ti —le susurró.

—¡Eh, que lo he oído! —protestó Chessy—. ¿Y yo qué? ¿Pasáis de mí?

—A ti te he hecho postre —le dijo Joss en un tono consolador.

A Chessy se le iluminaron los ojos.

—Ay, dime que has hecho la tarta de caramelo.

Ella asintió.

—Y una extra para que te la lleves a casa.

—Solo si acepta compartirla conmigo —dijo Tate secamente.

Chessy frunció el ceño con un aire burlón.

—Solo si te portas bien.

—Por el amor de Dios, Joss. ¿De dónde has sacado el tiempo para preparar todo esto? —preguntó Kylie—. ¡Hay comida para un regimiento y encima nos has hecho raciones adicionales para Chessy y para mí!

—Está de vicio —la elogió Jensen después de algunos bocados—. Esto es el paraíso.

Los demás se deshicieron también en halagos y ella se sentó con las mejillas coloradas por tanto elogio.

—Esto está de muerte, cariño. Gracias —dijo Dash con una sonrisa que hasta hizo estremecer a Kylie.

Ahora que había encontrado el amor, veía a sus amigas y sus relaciones con otros ojos. Ya no les tenía envidia. Ahora compartía lo maravilloso que era estar en una relación de verdad. Estar enamorada y todo lo nuevo que el amor traía consigo.

Colocó una mano en el regazo de Jensen y le acarició el muslo. Él se cambió el tenedor de izquierda a la derecha, entrelazó la mano con la suya y le dio un apretón cariñoso.

A Kylie la embargó la felicidad. Decían que el amor mejoraba con la edad, y si eso era cierto deseaba con todas sus ganas que llegara el futuro. Porque ahora mismo ya era increíble así que si aún tenía que mejorar... ni se lo imaginaba.

Estuvieron hablando y bromeando durante toda la cena. Era una velada ruidosa pero feliz. El ambiente era distendido y hasta Chessy parecía estar contenta de verdad; le brillaban los ojos de amor y felicidad.

Pero entonces a Tate le sonó el móvil y esa luz se apagó. Apartó la mirada para que nadie la viera, pero Kylie ya había reparado en la resignación que expresaban sus facciones.

Trató de desconectar de la conversación de Tate con la esperanza de que nada le arruinara la noche a su amiga, pero pronto quedó claro que fuera cual fuera la situación, requería la atención inmediata de Tate.

Seguía sin entenderlo. No comprendía los entresijos del puesto de Tate como asesor financiero. Lo más normal era pensar que su trabajo fuera exigente durante el horario laboral, cuando la bolsa y los bancos estaban abiertos, pero no por la noche. ¿Qué requería su atención inmediata y por qué tenía que dejar a su esposa con una frecuencia tan alarmante?

A Kylie le entraron las dudas mientras escudriñaba el rostro de su amiga. No le extrañaba nada que esta pensara que su marido tenía una aventura. No era algo descabellado eso de fingir la llamada de un cliente para pasar unas horas con la amante.

No, tenía que ponerle freno a su imaginación. Chessy necesitaba ayuda y no que dieran pábulo a sus sospechas.

Con una mueca, Tate se levantó de la mesa y miró a Dash.

—¿Podrás llevar a Chessy a casa después? No sé cuánto voy a tardar.

La mirada de Chessy desbordaba tristeza. ¿Cómo podía ser Tate tan ciego para no darse cuenta del daño que le estaba haciendo? ¿Tan inconsciente era? Todos los demás se habían dado cuenta. Hasta Jensen observaba a Tate con el ceño fruncido, y miraba alternativamente a Chessy y a su socio. En sus ojos veía preocupación por ella e irritación por él.

—Por supuesto —dijo Dash, aunque también fruncía el ceño—. No te preocupes. Joss y yo la acompañaremos a casa.

—Gracias, colega —dijo él. Se inclinó, besó a su mujer en la frente y le acarició brevemente la mejilla—. No me esperes despierta, cariño.

Acto seguido se fue y dejó a Chessy mirando el plato con una expresión ausente.

El silencio tras su marcha era incómodo; la tensión podía cortarse con un cuchillo. Cuando Chessy levantó la vista, sus ojos estaban cargados de humillación. Y derrota.

Jensen y Dash intercambiaron unas miradas serias y Joss miró a su amiga con preocupación.

A sabiendas de que había que centrar la atención en otra cosa que no fuera Chessy, Kylie buscó un tema de conversación, cosa nueva en ella porque solía observar y comentar tan solo lo que los demás hablaban.

—¿Cómo fue la luna de miel? —preguntó entonces a Joss y Dash.

Chessy la miró con gratitud e incluso trató de sonreír, aunque su expresión normalmente risueña y optimista, había desaparecido.

—Fue maravillosa —contestó Joss, aunque de vez en cuando iba mirando a Chessy. Luego, mirando a Kylie directamente, arqueó una ceja como si le preguntara «¿Qué podemos hacer?».

Kylie hizo un gesto y se encogió de hombros. No sabía qué hacer o qué decir para hacer que su amiga se sintiera mejor. ¿Cómo podría conseguirlo? Llegados a este punto, la única persona que podía hacerla sentir mejor era Tate.

—La playa era preciosa —continuó Joss—. Y la comida, deliciosa. La habitación tenía un balcón que daba al océano y por la noche nos tumbábamos en la cama para escuchar las olas del mar. Creo que nunca había dormido tan bien como durante esas dos semanas.

—Ah, ¿pero dormisteis? —preguntó Kylie, divertida—. Me dejas anonadada.

Dash tosió y dejó la copa en la mesa. Jensen soltó una carcajada y Joss miró a su amiga, sorprendida por el comentario. Se ruborizó y se echó a reír también.

—De acuerdo, tal vez dormí un poco —murmuró.

Dash sonrió y le apretó la mano a su esposa.

—¿La comida estaba buena? No me acuerdo de gran cosa salvo de ti. ¿Había playa, dices? Tengo la memoria algo borrosa.

—¡Shhh! —le espetó Joss.

—Ahora mismo lo de la playa me suena a gloria —comentó Kylie con cierta tristeza.

Desde que tuviera esa revelación sobre vivir la vida y disfrutar del dinero que tenía invertido, pensaba cada vez más en viajar. En unas vacaciones. Quizá, más de una. Por fin había encontrado la valentía para ver el mundo que existía más allá de su existencia protegida. Y tenía a alguien con quien compartirlo.

—Deberías ir —dijo Joss aprovechando el momento—. ¿Cuándo fue la última vez que te fuiste de vacaciones?

—Nunca —respondió Dash.

Jensen la estudió un instante.

—Quizá podríamos irnos de vacaciones un día de estos.

A Kylie se le encendieron las mejillas de la ilusión.

—Me encantaría —repuso en voz baja.

Chessy parecía aún más triste. Las lágrimas se asomaban a sus ojos, pero volvió la cabeza para esconderlas. A Kylie se le partía el corazón.

—Chessy, ¿por qué no te llevas a Tate de vacaciones? —preguntó entonces, cogiendo al toro por los cuernos.

Estaban entre amigos. Amigos de confianza. No había motivo para evitar el tema. Todo el mundo lo sabía ya. Todos podían ver el dolor en su rostro y esconder el asunto no iba a cambiarlo.

—No vendría —respondió ella con un hilo de voz.

—Podrías plantearte un secuestro —terció Dash pensativamente.

Chessy hizo un mohín.

—Me mataría. Está trabajando incansablemente para este cliente después de que se fuera su socio de repente. Está decidido a no perder a nadie más. Tendré que aguantarme y rezar para que esto no sea así siempre.

Jensen carraspeó; por su expresión parecía que se estuviera planteando si decirle algo o no. Entonces, miró a Chessy con aire preocupado y comprensivo.

—¿Has intentado contarle cómo te sientes? Si la mujer a la que amo me dijera que es infeliz, removería cielo y tierra para solucionarlo.

Chessy esbozó una sonrisa triste. Los ojos se le llenaron de lágrimas otra vez, pero miró a sus amigos directamente, sin tratar de esconderlas.

—Gracias a todos —dijo sin contestar a la pregunta directa que le acababan de hacer—. Me estoy portando como una niñata. No quiero ser otra carga más para Tate cuando está tan saturado en el trabajo. Tengo que apoyarlo y ser paciente. Nuestro aniversario está a la vuelta de la esquina y me ha prometido una noche fuera sin trabajo.

Dash y Jensen no parecían convencidos. Joss estaba visiblemente afectada por ver a Chessy tan triste; era su carácter compasivo y generoso. Tenía un corazón que no le cabía en el pecho.

Viendo que Chessy quería cambiar de tema, Kylie se levantó y recogió su plato.

—Venga, Joss. Te ayudo a quitar la mesa. Podemos tomar el postre en el salón, ¿verdad?

Joss también se incorporó y empezó a recoger los platos.

—Pues claro. Pediré a Dash que nos escoja un buen vino para el postre y cortaré un trocito de tarta para cada uno.

Cuando Kylie pasó junto a Chessy, se inclinó y la besó en la mejilla.

—Todo irá bien —susurró—. Ya sabes que me tienes aquí siempre que me necesites.

Su amiga sonrió, agradecida.

—Gracias, cariño. Te lo agradezco mucho, pero estaré bien. Estaremos bien —corrigió.

Con la esperanza de que su amiga tuviera razón, se fue a la cocina para dejar el montón de platos. Joss la siguió al rato, con el ceño fruncido.

—Me jode verla tan infeliz —dijo ella con rabia—. ¿Es que no podemos hacer nada?

—¿Aparte de colgar a Tate por los tobillos y preguntarle qué narices le pasa? —repuso ella secamente.

Joss chasqueó la lengua.

—Ya sabes que quiero mucho a Tate, pero ahora mismo se está portando como un capullo. No concibo cómo puede no ver la tristeza en sus ojos cuando todo el mundo sabe lo extrovertida y alegre que es, siempre que es feliz, claro. Chessy no sabe esconder sus sentimientos. Cuando está triste, se le nota en todos los aspectos de su ser. ¿Y Tate no se da cuenta?

—Lo más seguro es que no quiera verlo —dijo Kylie en voz baja—. Porque si reconoce que es infeliz tendrá que enfrentarse al hecho de que es por su culpa. Creo que ya lo sabe, muy en el fondo, pero se lo niega fingiendo que todo es normal y así no se siente culpable.

—Me parece de una cobardía increíble —murmuró Joss—. Sé que la quiere. Lo sé. ¡Y no es propio de él! Nunca lo he visto así, tan distante, tan dispuesto a relegar a Chessy a un segundo o tercer lugar en sus prioridades. En el pasado se desvivía por ella. Y así es como deberían ser las relaciones.

—No quiero que parezca que lo sé todo del tipo de relación que tienen —dijo Kylie con tacto—, pero por lo que he ido viendo en todos vosotros, diría que no está desempeñando bien sus funciones como dominante. ¿No decís siempre que es responsabilidad del dominante satisfacer todas las necesidades de su sumisa? ¿Anteponerla a todo y por encima de todo? ¿No se supone que su objetivo debería de ser adorarla y hacerla feliz?

—Sí —dijo Jensen desde el umbral de la cocina—. Absolutamente. Siempre. Sin duda.

Kylie levantó la vista. No se había dado cuenta de que estaba ahí. Estaba demasiado absorta en la conversación que mantenía con Joss.

Jensen dejó los platos en la encimera, le tomó una mano a Kylie y se la besó con dulzura.

—Tendría que hacer todo eso —añadió Jensen—. Y, por lo visto, ahora mismo no lo está haciendo.

—Me alegro de que Joss y yo no seamos las únicas que nos hayamos dado cuenta —murmuró.

—Bueno, vosotras la conocéis mejor. Igual que a Tate. Yo solo soy un mero observador imparcial, pero por lo que me habéis contado y por lo que he presenciado hoy, sí, diría que Chessy es muy infeliz.

Joss suspiró y cerró los ojos.

—Ojalá supiera qué hacer.

Jensen sonrió con dulzura.

—No podéis hacer nada salvo estar a su lado. Ser su consejo de sabias, sus amigas. Es Tate quien tiene que solucionarlo. Nadie más puede.

—¿Necesitas ayuda con la tarta, Joss? —le preguntó Kylie.

Su amiga negó con la cabeza.

—Vuelve con Chessy para que no esté sola. Yo traeré los platos y le daré la primera porción, la más grande.

Kylie sonrió a su amiga.

—Eres la mejor, Joss. Creo que no te lo digo mucho, pero te quiero.

A Joss le temblaron los labios y se quedó callada durante un momento, como si quisiera recobrar la compostura. La emoción descarnada se asomaba a sus ojos. Kylie sintió una punzada de culpabilidad por no proteger mejor su amistad. En adelante, sería una de sus prioridades. Joss y Chessy eran su mundo. Era hora de que lo supieran. Y de demostrárselo.

—Yo también te quiero, Kylie. Y me alegro de que seáis felices —dijo, incluyendo a Jensen en su declaración.

—Gracias, Joss. Kylie me hace muy feliz. Soy un hombre muy afortunado.

La sinceridad de sus palabras le llegó al alma y la embargó de una felicidad inaudita. Fue al salón dando saltitos, prácticamente. Saltaba de alegría. Sin embargo, en cuanto vio a Chessy, se sintió culpable por sentirse tan asquerosamente feliz sabiendo que su amiga estaba hundida en la miseria.

—No te sientas culpable por ser feliz, cielo —le murmuró Jensen al oído.

Ella levantó la vista con la boca abierta.

—¿Cómo haces eso?

Él soltó una carcajada.

—¿El qué? ¿Leerte la mente? No he estudiado percepción extrasensorial para saber en qué piensas. Hace un segundo estabas como unas castañuelas y en cuanto has visto a Chessy, se te ha borrado la sonrisa y has adoptado un aire de culpabilidad. No te sientas culpable, cielo. Mereces ser feliz y Chessy sería la primera en decírtelo. Nunca cambiaría tu felicidad por la suya.

Kylie sacudió la cabeza con incredulidad.

—Eres increíble, ¿lo sabes?

—Me alegro de que pienses así —contestó con una sonrisa.

Meneando la cabeza, Kylie se sentó junto a Chessy, le rodeó los hombros con un brazo y le dio un achuchón.

—Anímate, preciosa. ¿No es eso lo que me dices siempre? Siempre me das buenos consejos, así que hoy te daré yo uno de los que me das tan generosamente. No permitas que esto te hunda. Le cantarás las cuarenta y harás que se arrastre a tus pies pidiéndote perdón. Y como eres tan buena, le perdonarás y viviréis felices comiendo perdices.

Su amiga sonrió. Sus ojos perdieron la sombra y volvió la chispa de siempre. Kylie se sintió aliviada de inmediato. Esta era su Chessy y no la cuenca vacía en que se había convertido. Chessy... resplandecía, sin más. Pero era como decía Joss, solo brillaba cuando era feliz. Maldito Tate, cabeza hueca, por no darse cuenta de la infelicidad de su esposa.

—Ha sido enamorarte y volverte de un arrogante... ¡Me encanta! Es tan... tú.

—Es la nueva yo —repuso ella alegremente—, no la vieja, pero esta ya se ha ido y mi nueva yo me gusta más.

—Me gustáis las dos —dijo su amiga—. Tu yo anterior no tenía nada malo, solo que no era feliz. Ahora lo eres, esa es la única diferencia.

—No es la única, pero te quiero por decírmelo.

Joss entró y le dio a Chessy un plato con una gran porción de tarta de caramelo. Dash apareció con dos copas de vino para las dos amigas, y Chessy brindó con Kylie.

—¡Por cantar las cuarenta! Sea a quien sea.

—Amén, hermana —dijo Kylie.

Veinticinco

$\mathcal{A}$ Kylie le pesaba un poquito más el corazón de camino a casa que cuando llegaron a casa de Dash y Joss para cenar. Sin embargo, la preocupación por su amiga no disipaba las perspectivas optimistas de su futuro.

Puso la mano sobre la de Jensen mientras este conducía hasta la casa de él, la de los dos. ¿Cuándo había empezado a pensar en su casa como si fuera suya también? No había vuelto a su apartamento más que un par de veces desde que Jensen se la llevara a su casa y le hubiera hecho la mudanza, prácticamente. Solo había pisado la suya para recoger ropa y otras cosas que necesitaba.

Ninguno había mencionado la posible vuelta de Kylie a su antigua casa, claro que tampoco habían hablado de que se mudara de forma definitiva. Jensen simplemente se la había llevado a su piso y le dijo que se quedara.

Vaya, se estaba ablandando con la edad y la experiencia. Si un mes atrás alguien le hubiera dicho que Jensen y ella serían pareja, que la sacaría del despacho sobre los hombros cual hombre de las cavernas y que se la llevaría a su casa, se hubiera partido de risa.

Pero ahí estaba, enamorada, feliz, viviendo con Jensen... y disfrutando del sexo.

Hizo una mueca al pensar en la palabra «sexo». Sí, era sexo, pero le parecía un término vulgar para describir su forma de hacer el amor. Nunca había pensado en la diferencia entre el sexo y hacer el amor. Nunca había tenido motivos. Y aún menos se había imaginado a sí misma haciéndolo con un hombre, sobre todo con alguien como Jensen.

Aunque su experiencia era limitada, conocía bien la diferencia entre el sexo sin compromiso y hacer el amor. Era una bobería pensar en eso. La antigua Kylie no hubiera tenido esa capacidad de introspección o análisis y nunca había contemplado la idea de hacer el amor.

Y esa era exactamente la descripción más adecuada de la intimidad que entre ambos habían creado. El sexo era… bueno, era sexo. Nada más y nada menos. Hacer el amor implicaba mucho más: confianza, respeto mutuo y, claro está, amor.

—Estás muy callada.

Se volvió y vio a Jensen mirándola de reojo mientras circulaban de camino a casa.

—¿Pasa algo? —le preguntó.

—No, nada —contestó ella con una triste sonrisa—. Pensaba sobre las diferencias entre hacer el amor y practicar sexo.

Él arqueó una ceja.

—A ver, cuenta. Parece una conversación muy interesante.

Ella se echó a reír.

—Estoy en plan tonto y filosófico a la vez.

—¿Y? ¿Me lo vas a contar ya o me vas a dejar en ascuas con esa revelación que has tenido?

Ella le apretó la mano; disfrutaba estando con él. Feliz. Nunca había usado esa palabra tantas veces como en estas últimas semanas con Jensen.

—Pensaba que no es exactamente sexo lo que hacemos —dijo, algo avergonzada por ese comportamiento tan pueril y romanticón.

Él no se rio ni hizo amago de que fuera una tontería. Le apretó la mano también y le acarició los nudillos con el pulgar.

—Por primera vez en la vida reconozco la diferencia entre sexo y amor.

Se arrepintió nada más decirlo. No creía que Jensen estuviera de acuerdo teniendo en cuenta que lo había atado a la cama las dos veces. No es que fuera el paradigma más tradicional de hacer el amor. Sentía vergüenza por haber reconocido su amor por un hombre en el que no confiaba lo suficiente para que le hiciera el amor.

—Cielo, ¿y esa cara? —le preguntó al llegar al garaje y apagar el motor.

—Ojalá no hubiera dicho nada —contestó con sinceridad.

—¿Por qué? —inquirió en un tono incrédulo. Se había dado la vuelta en el asiento para mirarla de frente.

Ella cerró los ojos.

—Porque a pesar de mis declaraciones de amor y confianza, no te he demostrado nada. El movimiento se demuestra andando y dudo que nadie crea que atarte a una cama sea «hacer el amor».

—Ahora ya me empiezas a cabrear —dijo en un gruñido.

Ella parpadeó y lo miró. Nunca se había enfadado con ella. Era inevitable. ¿Qué pareja no discute o se enfada el uno con el otro? Pero sí parecía... cabreado.

—No pienso mantener esta conversación en el puto coche —dijo al tiempo que abría la puerta—. Vamos a hablarlo, pero en casa.

Kylie abrió la puerta con recelo; de repente le pasaron unas ideas raras por la cabeza. Se le aceleró el corazón y el pulso. Al salir, tragó saliva por el miedo que la atenazaba.

Estaba siendo tonta. Por mucho que se enfadara, nunca le haría daño. Lo sabía. Sin embargo, a la primera señal de rabia, su reacción había sido recelosa. En su mundo, rabia equivalía a violencia. Ambas habían ido de la mano en su infancia. Odiaba discutir, detestaba las confrontaciones aunque su talante malhumorado y picajoso pudiera indicar lo contrario.

Jensen la esperaba delante del coche y ella apretó los puños, preguntándose si debería cogerle de la mano. Es lo que hacía cuando salían por ahí y volvían a casa. Pero ahora no estaba segura, aunque reconocía que sentirse así era una tontería.

Jensen le puso una mano en el hombro y la miró fijamente.

—¿Me tienes miedo?

Su mirada era tan sagaz que la dejó sin habla. Ella misma estaba empeorando las cosas a pasos agigantados.

—No. Sí. No. ¡Joder, no!

Sacudió la cabeza para darle énfasis, pero él ni se movió. No parecía que la creyera. ¿Y quién podía culparle? Se había contradicho a ella misma en tan solo unas palabras.

Cerró los ojos; inspiró y espiró hondo.

—No te tengo miedo, Jensen. Me da miedo la rabia. Las repercusiones de esa rabia. Me ha pillado desprevenida. No te había hecho enfadar aún y eso que me he esforzado mucho en todo —dijo disgustada—, así que no me lo esperaba. No he tenido tiempo para ser más fuerte o para decirme lo idiota que he sido. El miedo ha sido mi reacción instintiva y natural. Odio discutir y las confrontaciones. Normalmente hago lo que sea para evitarlas. Y sé que discutiremos. No espero que seamos perfectos. No sé por qué me ha entrado miedo. Bueno, sí lo sé —dijo con la voz cada vez más apagada.

—Entra conmigo, Kylie —dijo en voz baja, pero tierna.

Levantó la vista y reparó en la calidez de su mirada. En su sinceridad. Lo comprensivo que era y lo mucho que la amaba.

Él le cogió la mano y la acompañó hasta la puerta principal. Una vez dentro, la llevó al dormitorio.

—Ponte cómoda —le dijo—. Hablaremos abrazados.

La invadió una sensación de alivio increíble. Estaban bien; no pasaba nada.

Se puso un pijama mientras él se quedaba en bóxers. Jensen entró en la cama, se tapó con las sábanas y dio unos golpecitos a su lado.

Ella entró decidida y se acurrucó. Seguía dándole vueltas a lo que se había dicho a sí misma antes. Era hora de demostrar sus palabras con actos. De demostrarle que confiaba en él. Podría empezar por ser más afectuosa y por acercarse a él sin que este se lo pidiera.

—Ahora quiero que me escuches con atención —dijo Jensen con firmeza.

Le pasó una mano por el pelo y luego por el brazo. Con los dedos la acarició tan suavemente que le puso la piel de gallina.

Solo porque no tenga las manos atadas mientras hacemos el amor, y sí, es hacer el amor, no significa que sea sexo sin más. Las dos veces me has dado algo valiosísimo; tu confianza.

—¿Cómo puedes decir algo así si te até en las dos ocasiones? —preguntó inquieta.

Se la acercó con firmeza.

—Porque lo hiciste de principio a fin. Hicimos el amor con dulzura. Me corrí dentro de ti y todo fue precioso, cielo.

Ella suspiró e inhaló su olor, dejando que la envolviera y la tranquilizara.

La besó en la cabeza.

—Te quiero, Kylie. Mi amor no está condicionado a cómo hagamos el amor o si lo hacemos, para empezar.

—Me alegro —dijo ella con la voz amortiguada por su cuerpo—. Quiero ser normal, Jensen, pero no sé cómo serlo.

Él se rio aunque su voz delataba cierto dolor.

—Que le den a ser normal. Ya hemos tenido esta conversación y ya sabes lo que opino al respecto.

Kylie suspiró y cerró los ojos, se deleitaba con su presencia. Tan sólida, tan fuerte. Era su roca, su punto de apoyo.

Se quedaron en silencio un buen rato. Era un silencio cómodo que ninguno quiso que terminara. Pasado un momento, ella notó que Jensen se tensaba, como si estuviera a punto de decir algo.

Ella se recostó en la cama y buscó su mirada.

—¿Estás preparada para contarme tu pasado, cielo?

Sus ojos oscuros la escudriñaban; en su expresión había cariño y preocupación a partes iguales.

Se le cortó la respiración y se le aceleró el pulso, igual que el corazón. Era una tontería, se dijo. No eran más que palabras. Recuerdos. No podían hacerle daño a menos que ella se dejara.

Y esta era la última barrera que los separaba. La última pieza del puzle de la confianza.

—Sí —susurró—. Lo estoy.

Le dio un apretón y la besó en la frente para darle ánimos.

—Tómate tu tiempo. No me voy a ningún sitio.

Ella se le acercó más. Se sorprendió al no sentirse al borde de un ataque de pánico ante la idea de contarle algo tan personal. Algo que nunca le había confiado a nadie. Ni siquiera a Carson. Se dio cuenta de que quería —o mejor dicho, necesitaba— descargar. Por fin.

—Ni siquiera sé por dónde empezar —dijo. Las lágrimas le quemaban en los ojos y tragó saliva para deshacer ese nudo que se le formaba en la garganta.

—Por el principio o por donde tú prefieras. Estoy aquí para escucharte.

—Siempre nos maltrató —dijo con una voz temblorosa—. No recuerdo ningún momento en el que no lo hiciera. Apenas recuerdo a mi madre, así que no sé si era mejor que él. No logro entender por qué nos dejó a Carson y a mí con ese cabronazo. ¿Cómo puede una madre abandonar así a sus hijos?

Jensen se puso tenso y ella se mordió el labio inferior, arrepentida de haber hecho ese comentario después de que él le contara lo mismo. Nunca había pensado en lo mucho que Jensen y ella tenían en común. Su media naranja.

—Lo siento —añadió algo alterada. Lo último que quería era arrastrar a Jensen a su pasado otra vez. El suyo era ya bastante malo.

—No, cielo, no. No te disculpes. Necesitas hablarlo con alguien que te quiere. Alguien que te escuche. Hoy el protagonista no soy yo. Hoy todo es por ti.

Ella asintió y cerró los ojos con fuerza. El resto era... duro. La vergüenza y el sentimiento de degradación ocupaban todos sus recuerdos.

—Me violó por primera vez cuando tenía trece años.

Él se quedó rígido. Ella apoyó la mano en su pecho; necesitaba algo sólido, tangible. Jensen puso una mano sobre la suya.

—Y había mucha violencia. Muchísima violencia —susurró—. Nada de lo que hacíamos Carson o yo estaba bien. Cuando estaba borracho siempre iba a por Carson. Cuando estaba sobrio dirigía su ira hacia mí. Podía entender, bueno, no, pero tenía más sentido que se volviera violento cuando bebía. Lo que me aterrorizaba era que lo hiciera cuando estaba en plenas facultades. Parecía más personal.

»Al menos, con Carson parecía que pasaba porque estaba en el sitio y en el momento menos adecuados. Es muy triste pensar que me sintiera a salvo cuando bebía, pero así era.

Él la besó en la cabeza y dejó sus labios ahí un buen rato.

—Nunca se lo he explicado a nadie… —empezó a decir, pero luego se puso a temblar; ya no podía controlar los recuerdos. Salían de su mente dejando una estela negra a su paso.

—¿Qué, Kylie? —preguntó—. ¿Qué no le has contado a nadie?

—Hubo un tiempo en el que me planteé suicidarme.

Jensen contuvo la respiración y soltó el aire en bocanadas largas y temblorosas.

—Joder, cielo. Lo siento mucho. Eso es una carga demasiado pesada para ti sola. ¿Por qué no se lo habías dicho a nadie?

—Porque eso solo demostraría lo débil que soy —dijo con cierto recelo—. Una tara más de la lista. Pensar que dejaría a Carson solo era lo que me lo impedía. No quería morir… o sí. Muchas veces hubiera sido lo más fácil para que todo parara. Estaba enfadada con mi madre por dejarnos y yo pensaba en hacerle lo mismo a Carson.

—Kylie, no eres débil. Necesitaste mucho coraje para no hacerlo. Para quedarte en esa situación sin esperanzas de poder salir. Eras una niña que creía que nunca saldría de ese infierno. No puedo culparte por pensar en el suicidio.

—Carson estaba destrozado por saber lo que me hacía nuestro padre. Supongo que se sentía como tú en muchas ocasiones. Indefenso, sin poder hacer nada.

—Sí, ese sentimiento lo conozco bien —murmuró.

No quería contarle los detalles más sórdidos. No hacía falta que se hiciera eso a sí misma ni a Jensen. Bastaba con que lo supiera… y con habérselo contado.

—¿Cuándo y cómo terminó? —preguntó al ver que se había quedado callada.

—Carson hacía trabajillos e iba ahorrando el dinero suficiente para escaparnos. Nos fuimos en mitad de la noche mientras nuestro padre dormía la mona. Carson me preocupaba muchísimo porque esa noche le había pegado más de lo habitual. Tenía moratones y costillas rotas. A saber qué más. Pero consiguió sacarnos de allí.

—¿Dónde fuisteis? —preguntó él con dulzura—. ¿Cómo conseguiste apañártelas? ¿Cómo conseguiste ir a la universidad, incluso?

—Durante un tiempo fuimos unos sintecho. Aunque teníamos algo de dinero, no podíamos permitirnos pagar un alquiler y, además, ¿quién iba a alquilarle nada a unos críos? Hubieran llamado a la policía y nos hubieran devuelto a nuestro padre. Teníamos que comer y usar el dinero con cabeza. Carson se pagó la universidad trabajando y yo trabajaba en varios sitios también. Cuando tuvo su primer trabajo formal, me ayudó a pagar la universidad.

—Para que después digas que eres débil —dijo él, asombrado—. ¿Cómo puedes pensarlo siquiera? ¿Te das cuenta de la fuerza que tuviste para sobrevivir y ser indigentes sin nadie que os cuidara salvo vosotros mismos? No conozco a mucha gente que hubiera tenido semejante entereza.

—Ojalá pudiera verlo como tú —dijo con melancolía.

—Eres una mujer muy valiente, Kylie. Nunca lo pongas en duda.

—Te quiero.

—Yo también te quiero, cielo. ¿Carson o tú volvisteis a verlo después de eso?

Kylie negó con la cabeza.

—No, pero Carson lo estuvo buscando varios años después. Creo que quería vengarse.

—No lo culpo —murmuró—. ¿Y lo encontró?

—Nunca me lo dijo. Me enteré porque vi un archivo abierto en su mesa. Cuando le pregunté qué era, bueno, pues puedes imaginar que me dio un ataque. No debería sorprenderte. No me extraña que no quisiera contarme nada. Le preocuparía que se me fuera la cabeza e hiciera alguna tontería. Quién sabe. Puede que lo hubiera hecho.

»Pero el tipo de venganza que Carson quería no era de la que te llevaría a la cárcel con cargos de asesinato. No hubiera arriesgado su matrimonio con Joss. Quería comprobar si nuestro padre vivía bien porque quería arruinarlo. Quería quitarle todo lo que tuviera, si es que tenía algo. Y quería que supiera quién le había arruinado y por qué.

—No estoy de acuerdo en eso de que no te hubiera dado la información —murmuró él—. Estabas en tu derecho y no hubieras hecho ninguna estupidez. Lo que Carson no supo ver fue que tal vez hubieras logrado cerrar ese capítulo de tu vida de haber sabido que tu padre ya no podía hacerte nada.

Ella frunció el ceño.

—No me lo había planteado así. Es la incertidumbre lo que me mata. Tengo miedo de que aparezca de la nada. Aunque por lo que sé, podría estar muerto.

—Podría averiguarlo por ti si quieres saberlo de verdad —le propuso Jensen en voz baja.

Ella se quedó inmóvil; el miedo la atenazó de repente.

—Quizá algún día —dijo a modo de evasiva—. Quizá nunca. No sé qué quiero ahora mismo.

—Cuando estés preparada, dímelo. Me aseguraré de que no sepa nada de ti. Y tal vez pueda averiguar si Carson llegó a vengarse o no.

—Gracias.

Se sentía… deshinchada… de pronto. Era como si le hubieran quitado un gran peso de encima y se hubiera quedado hundida. Estaba emocionalmente agotada aunque apenas había profundizado en los abusos. Puede que nunca se lo contara todo. O quizá un día estuviera preparada para quitarse todo ese veneno que llevaba infectándola tanto tiempo.

—De nada, cielo. Te quiero y estoy muy orgulloso de ti. Ahora tienes que estarlo tú también y darte cuenta del gran paso que has dado al estar donde estás ahora y no dejar que tu pasado afecte tu presente.

Hizo una mueca.

—Eso era lo que hacía no hace mucho.

—Eres demasiado dura contigo misma. Anímate. La única que te desprecias eres tú. Los demás ven lo que yo veo: una mujer valiente y sin miedo.

—Eso me gusta —dijo con una sonrisa—. Sin miedo. Unas palabras que nunca hubiera usado para describirme.

—Pues revisa tu lista de palabras y quita todas las malas sobre ti —gruñó.

Kylie bostezó, cansada por todas las emociones del día.

—Tal vez podamos redactar esa lista juntos un día. Y que la primera de todas, la palabra más importante que me describa sea «querida».

—Siempre. Yo te quiero y no soy el único.

—Eso lo sé ahora —dijo, acurrucándose aún más a su lado.

—¿Crees que podrás dormir? —le preguntó, preocupado—. Me preocupa que esto pueda afectarte. A mí me afectó cuando te conté mi pasado.

—Podré dormir siempre que estés a mi lado —dijo.

Él la abrazó.

—Entonces duerme, cielo. Estaré aquí abrazándote todo el tiempo que necesites.

Veintiséis

*E*l temor de que a Kylie la atormentaran las pesadillas le tuvo en vela un buen rato después de ver cómo se dormía. Pero en cuanto se durmió él, no fue ella quien tuvo pesadillas.

Jensen estaba completamente inmovilizado, incapaz de moverse y de hacer nada mientras veía cómo su padre pegaba a Kylie una y otra vez. En sus sueños, era su madre la que sufría los malos tratos mientras él se veía incapaz de detenerlo; en este, era Kylie la que estaba en el lugar de su madre.

Veía la escena a través de los ojos de un adulto atrapado por las limitaciones de un niño.

—No —gimió—. Por favor, no. Deja de hacerle daño, por favor.

Su padre levantó la cabeza y lo miró a los ojos con la boca torcida en un rictus cruel.

—Eres un inútil. No puedes protegerla. Le has fallado igual que le fallaste a la imbécil de tu madre.

Entonces Kylie gritó su nombre. Era una súplica, un ruego para que la ayudara, y no podía hacer caso omiso ni en sueños.

Al final, muy al final, pudo moverse. Ya no tenía los pies fundidos en el cemento. Ya no estaba en el cuerpo de un chiquillo. Soltó un gruñido y se abalanzó sobre su padre con toda la fuerza adulta de la que carecía de pequeño.

Tumbó a su padre y volvió a echársele encima al tiempo que lo agarraba por el cuello. Esta vez le pararía los pies.

Nunca volvería a hacerle daño a una mujer. Ya no era el niño indefenso e impotente que fuera antaño.

La ira y la rabia se le antojaban como oleadas negras que le daban aún más fuerza.

Esta vez no fallaría a su madre. No fallaría a Kylie.

Siguió apretando mientras veía cómo el rostro de su padre se volvía azul y se le salían los ojos de las cuencas.

Kylie volvió a gritar su nombre, esta vez con mayor desesperación. Con una voz rasgada. ¿Le estaba implorando que parara?

De repente se quedó quieto. ¿Por qué le rogaría que le perdonara la vida a su padre?

Una vez más lo llamó, pero esta vez con un hilo de voz. Apenas vocalizaba y gemía como de dolor. Se esforzó por salir de la pesadilla, extrañado por la actitud de Kylie.

Y entonces, como si le echaran un cubo de agua fría, se despertó del todo.

El horror lo embargó de inmediato. Tenía las manos alrededor del cuello de Kylie y le estaba hincando los dedos con fuerza. Las lágrimas le resbalaban por toda la cara mientras intentaba respirar y quitarse sus manazas de encima.

Joder, le entraron ganas de vomitar.

La soltó al momento y ella cayó en la cama, tocándose el cuello y boqueando para poder respirar. Tosía y se atragantaba sin cesar. Se sentó; el pelo le caía por la cara y los hombros. Al borde de la cama, se llevó las rodillas al pecho y se hizo un ovillo. Empezó a balancearse hacia delante y hacia atrás; sus sollozos entrecortados le desgarraban el alma. Heridas de las que nunca podría recuperarse. ¿Cómo podría hacerlo?

—¡Kylie!

Ese grito agonizante parecía el de un animal herido.

¿Qué había hecho? ¿Cómo podía haber hecho algo tan horrible? Se había convertido en el mismo monstruo que eran sus padres.

—Kylie, Dios santo, ¿estás bien, cielo?

Se inclinó sobre ella, aún temblando por el sueño. Tenía miedo de tocarla, pero quería consolarla.

La abrazó y sus lágrimas le humedecieron las mejillas mientras ella se balanceaba.

—Lo siento —dijo entrecortadamente—. Cielo, lo siento. Lo siento muchísimo.

La desesperación se apoderó de él y volvía borroso todo lo demás. La pena y el arrepentimiento lo machacaban como con un martillo.

Le había hecho lo único que juró que no haría. Le había hecho daño.

No era mejor que su padre. Todas las cosas que había dicho, todo lo que nunca había imaginado que le haría a un ser humano lo destrozaban ahora. Los susurros en su cabeza, los fantasmas de su pasado volvían a acosarle. Se reían de él y lo llamaban hipócrita.

Cerró los ojos; sus pensamientos no podían ser más aciagos al reparar en la magnitud de lo que había hecho. Al darse cuenta de las consecuencias de lo que había hecho.

Las lágrimas le nublaban la vista por el dolor de lo que había perdido en cuestión de segundos.

Tenía que dejarla marchar.

Kylie estaba tensa en sus brazos. No había dicho nada; solo sollozaba débilmente por el miedo. Se preguntaba si sería capaz de hablar después de casi haberla asfixiado.

Le saldrían moratones mañana. Marcas que él mismo le había dejado.

Nunca se perdonaría por eso.

—Estoy bien —susurró ella.

Sus palabras le hicieron reaccionar y lo sacaron de la negrura de sus pensamientos.

La soltó y se apartó; no la miró a los ojos siquiera. No podía. No había nada que decir; no existía disculpa lo bastante sincera para lo que le acababa de hacer. No podía enmendarlo de ninguna manera.

—Recogeré tus cosas y te llevaré a casa —le dijo bruscamente.

Kylie levantó la cabeza de modo que pudo ver esos enormes ojos llenos de miedo. Al instante, el miedo y la incertidumbre dieron paso a la confusión.

—¿Qué? —susurró.

A él le dolía cada vez que hablaba. Apenas podía oírla con esa vocecilla.

—Que te llevo a casa —dijo apartando la mirada. No soportaba quedarse ahí y ver lo que acababa de perder. No podía enfrentarse a lo que había hecho. Era como un cuchillo en el corazón.

—No lo entiendo.

Le temblaba la voz y las lágrimas se agolpaban en sus ojos, que se volvían cada vez más brillantes.

—No podemos estar juntos, Kylie.

No quería que esas palabras le salieran tan tajantes. O al menos con esa fuerza. Pero se moría con cada aliento. El dolor se le iba en esas dichosas palabras.

—¿Te das por vencido?

El dolor en su voz le echaba más sal a su herida abierta.

—Te quiero, Jensen, ¿y ahora me dejas? ¿Te vas así como así?

—Joder, Kylie. Mira lo que te he hecho —le dijo en un gruñido—. ¿Cómo puedes pensar en estar con un hombre como yo? Podría haberte matado… He intentado matarte.

—Era un sueño. No era tu intención…

La bilis le subió a la garganta. Joder, encima ella intentaba racionalizar su comportamiento. Le vino a la cabeza la mujer que Kylie y él habían visto en el aparcamiento la otra noche y cómo intentaba disculpar a su novio o marido. Y ahora ella estaba haciendo lo mismo.

No pensaba permitirlo. Se merecía a alguien, a otro hombre, mejor que él.

—Haz el favor de escucharte —le dijo con frialdad—. Mira cómo tratas de disculpar este maltrato, cómo le buscas un motivo. Vístete mientras recojo tus cosas. Te llevo a tu casa ahora mismo.

—Me dijiste que me querías —susurró ella, hecha un

mar de lágrimas que le resbalaban por las mejillas—. Prometiste que…

—Sí, ¿qué te prometí? —preguntó él—. Te prometí que nunca te haría daño.

Kylie se volvió y le dio la espalda. Esa espalda que se movía al ritmo de sus sollozos mientras empezaba a vestirse.

Jensen tardó media hora en recoger todas sus cosas. Las metió en el maletero del coche y fue a por Kylie, que estaba sentada en el sofá del salón.

Tenía el rostro pálido y los ojos rojos, llenos de lágrimas. Llevaba el pelo alborotado, no solo por dormir, sino por lo que le había hecho. Aún tenía sus dedos marcados en el cuello; un recordatorio de lo a punto que había estado de matarla.

—Vámonos —dijo sin más.

Se incorporó tambaleándose. Seguía sin mirarlo, algo de lo que se alegraba. Ya estaba él bastante arrepentido por los dos.

Se sentó al volante al tiempo que ella lo hacía a su lado. El trayecto a su casa fue en completo silencio; un silencio tenso y agobiante. Cada minuto que pasaba se sentía más apesadumbrado y se odiaba más, hasta que llegó un momento en el que creyó que lo consumiría.

Aparcó a la entrada de su casa. Salió y se acercó al maletero a sacar las cosas. Cosas que había llevado a su casa y que se había acostumbrado a ver por ahí.

Lo dejó todo en la entrada, pasada la puerta, porque quería acabar lo antes posible. Cuando se dio la vuelta para volver al coche casi chocó con Kylie. Le puso las manos en los hombros para que no cayera y ella se zafó de él.

Con un suspiro, se fue al coche y le dio la espalda para siempre.

—Yo nunca hubiera tirado la toalla como tú —gritó ella.

Él se detuvo; esa acusación lo dejó helado.

—No me hagas esto, Kylie. No lo hagas más difícil de lo que es.

—Te quiero —dijo a media voz.

Jensen cerró los ojos; las heridas volvían a sangrar.

—Yo también, por eso tengo que irme.

Se dio prisa para entrar en el coche; no quería oír su respuesta. No podía soportarlo más. Tenía que marcharse antes de venirse abajo.

El trayecto a casa fue algo borroso. Las imágenes de él ahogándola con las manos se sucedían sin cesar hasta que empezó a marearse. El nudo del estómago cada vez era más pesado.

Nunca amaría a ninguna otra mujer. No del mismo modo en que amaba a Kylie.

En cuanto metió el coche en el garaje, abrió la puerta, salió corriendo y vomitó en el jardín principal.

Veintisiete

*S*entada en una silla en el porche trasero y abrigada con una manta, Kylie contemplaba el sol, que salía por el horizonte. Aunque hacía bastante calor, un frío glacial se había apoderado de ella. Por un instante pensó que jamás volvería a sentir calor.

Jensen la había arropado con sonrisas, ternura y amor. Todo aquello había desaparecido con él.

Le habría gustado ser capaz de reunir la fortaleza emocional necesaria para odiarlo, pero solo lograba recordar la desolación y el horror en sus ojos. El asco y la culpa por lo que había hecho.

Con un gesto distraído, se frotó la garganta, que todavía tenía irritada, en el punto en que las marcas de las yemas de los dedos le manchaban la piel.

Podría haberla matado.

Eso fue lo que dijo, y también lo que ella había pensado, pero no conseguía creérselo. La había soltado en el mismo instante en que había despertado del sueño. Él nunca le haría daño conscientemente. Estaba completamente segura de ello. ¿Por qué no lo estaba él?

Jensen se había burlado de su falta de confianza en sí misma, pero no parecía que él la tuviera. Al menos, en lo referente a ella.

Suspiró y miró el papel que tenía delante. Era su carta de dimisión, dirigida a Dash. No pensaba hurgar en la herida mencionando a Jensen en la renuncia.

Sobre la mesa, junto a la carta, estaban el ordenador

portátil y el teléfono. Había pasado la mayor parte de la noche buscando préstamos hipotecarios y agentes inmobiliarios en Google. No necesitaba una hipoteca. Con el dinero que tenía invertido podía comprarse una casa y le sobraría una buena suma. Además, ¿quién iba a darle una hipoteca estando en paro?

Todavía faltaban horas para que abrieran las oficinas. Dudó un momento. La idea la atenazaba. Debería salir de inmediato y dejar la carta sobre el escritorio de Dash antes de que Jensen o él llegasen por la mañana.

Tenía borroso el fin de semana. Lo pasó entero tumbada en la cama tapada hasta la barbilla. De vez en cuando, había sufrido ataques de llorera. No había comido ni dormido. Apenas había logrado la hazaña de arrastrarse hasta el baño para ocuparse de las necesidades más básicas.

Después, su mente había pasado al modo de recuperación. No podía esconderse en casa para siempre. Cada día se rompe el corazón de alguien. En ese aspecto, no era distinta a los demás. La vida continuaba. La cuestión era si iba a pasar página o si iba a ser como siempre había sido. Tímida. Temerosa. Si iba a esconder la cabeza y adoptar el mantra de «la ignorancia es una bendición».

Dos cosas estaban claras. En primer lugar, no podía continuar trabajando para Dash y Jensen. Además, tenía que mudarse. Era una idea que ya se había planteado antes, pero nunca había querido invertir la energía necesaria para hacerlo.

La carta ya estaba redactada y tenía el número de teléfono de una agencia inmobiliaria local. Había llegado el momento de actuar y dejar de ser tan pasiva con su vida.

Se impulsó para ponerse en pie y todos sus músculos protestaron. Pese a todo, se sobrepuso a la incomodidad, recogió la carta y volvió a entrar en la casa para vestirse y coger las llaves de la oficina.

Media hora más tarde, dejó la carta sobre el escritorio de Dash junto a una lista de las cosas que debía hacer ese día. Sintió un instante de culpabilidad por hacer algo así a Dash.

Siempre había sido paciente y comprensivo con ella. Trabajar para él era un sueño, y dejar el puesto de pronto, cuando todavía no habían encontrado a nadie que la reemplazara, no era justo, pero no podía ir a trabajar al mismo lugar en el que estaría Jensen y simular que no le acababan de hacer añicos el corazón.

Después, entró en su despacho y se puso a empaquetar sus cosas y sus efectos personales.

Al terminar, se volvió y echó un último vistazo al negocio que había construido su hermano. El lugar en el que ella había trabajado desde que se había licenciado en la universidad. Se le daba bien su trabajo. También habría sido una excelente socia. En cualquier caso, había más trabajos. Había llegado el momento de cortar con el pasado, olvidarlo y pasar página.

Carson ya no estaba. Nunca volvería. Ella no quería seguir siendo una carga para nadie ni un minuto más.

Suspiró y arrastró los pies hacia el ascensor. En el vestíbulo, saludó al guardia nocturno que observaba con curiosidad cómo cargaba la caja que sostenía en alto para evitar que se le cayera.

Al llegar a casa, dejó la caja en el coche sin preocuparse por su suerte. Solo deseaba volver a la cama y no levantarse en una semana. Tal vez lo hiciese. Al menos, hasta que corriera la voz sobre lo que había pasado y Chessy y Joss rastreasen su pista.

Debería llamarlas y contárselo en persona, pero no se sentía capaz. De todos modos, sus amigas tampoco podían hacer nada por ella, aparte de ofrecerle un hombro sobre el que llorar y decirle que todo saldría bien y que el mar estaba lleno de peces.

Sí, claro.

Tal vez no contara con una amplia experiencia en el amor y las relaciones, pero incluso ella era consciente de que nunca encontraría otro amor como Jensen.

Pasó junto a las cosas que este le había vuelto a llevar a casa y entró en la cocina. Echó un vistazo a la botella de vino sobre la encimera y se encogió de hombros. ¿Por qué no?

Se sirvió una copa generosa y, de camino al dormitorio, agarró la botella. Así se ahorraba un viaje más tarde, y en cuanto se metiera en la cama no pensaba levantarse por nadie.

Veintiocho

—¿*T*e importaría explicarme de qué diablos va todo esto? —vociferó Dash.

Jensen levantó la vista con aire cansado mientras Dash agitaba una hoja de papel frente a sus narices. Jensen no estaba de humor para jugar a las adivinanzas. No había dormido desde el viernes por la noche. Tenía una resaca infernal tras hacer algo que nunca hacía. Había pillado una borrachera descomunal que no había soltado en todo el fin de semana.

Una prueba más de que se parecía más a su padre de lo que pensaba. Al parecer, era cierto eso de que de tal palo, tal astilla.

—Por el amor de Dios, estás hecho una mierda —dijo Dash, asqueado.

—Que te jodan —gruñó Jensen.

—Ha presentado su dimisión —masculló Dash.

Apoyó las manos en el escritorio de Jensen, se inclinó hacia delante y puso la carta de dimisión en un lugar en el que Jensen no pudiera evitar verla.

La desesperación se apoderó de Jensen y lo abrumó. A su alrededor, todo parecía negro y la tristeza lo asfixiaba.

—No la aceptes —replicó Jensen, desolado—. Me iré yo. Nunca haría nada para que se fuera ella. Puedo trabajar en otro despacho y dejaros aquí a los dos.

—Joss ha ido a su casa hoy mismo. Se ha preocupado mucho cuando le he contado que Kylie había dejado el trabajo. No estaba. Nadie sabe dónde coño está. Y ha puesto a la venta la dichosa casa —rugió Dash—. ¿Qué cojones le has hecho?

Jensen cerró los ojos. Las lágrimas le abrasaban los párpados como si fueran ácido.

—Le he hecho daño —susurró—. Juré que jamás lo haría.

Dash le miró con una expresión intrigada.

—¿Qué tipo de daño?

Jensen sacudió la cabeza.

—Eso no importa. Lo importante es que no permitas que dimita. Dile que me he largado. Haz lo que sea. Vaciaré el escritorio hoy mismo. Se puede quedar con mi despacho o conservar el suyo.

—Joder, ¿me quedará un negocio después de todo esto? —se preguntó Dash.

—El maldito negocio me importa una puta mierda —gruñó Jensen—. A mí solo me importa Kylie.

Dash negó con la cabeza.

—Para haber confesado que le has hecho daño, diría que todavía te importa bastante lo que haga.

—Pues claro que me importa —dijo Jensen, iracundo—. La quiero. Joder, nunca volveré a querer a nadie.

—Entonces, ¿por qué narices estás aquí en lugar de ponerte a sus pies y suplicarle perdón? —respondió Dash en el mismo tono.

Jensen se puso en pie y plantó las palmas en la mesa. Se inclinó y miró a Dash directamente a los ojos.

—Porque algunas cosas son imperdonables —contestó con la voz entrecortada—. Hay cosas que no pueden deshacerse y hacerse de nuevo. Da igual si me perdona, probablemente lo haría. Yo no puedo perdonármelo. ¿Lo entiendes?

Dash suspiró.

—Sí, hombre, lo entiendo, pero ¿sabes una cosa, Jensen? Tengo un dato para ti. Has dicho que le habías hecho daño. ¿Qué demonios crees que estás haciendo ahora?

Jensen se reclinó en el asiento y se pasó una mano por el pelo. Estaba agotado. Quería pasar una noche sin que lo devorasen los demonios del pasado. Una noche en la que no viese sus manos alrededor del cuello de Kylie o no la oyera gritar su nombre.

Solo quería… paz. ¿Era pedir demasiado?

Sin embargo, ¿cómo podía vivir realmente en paz si la mujer que amaba no estaba entre sus brazos?

—Dash, no dejes que se vaya —repitió, y el cansancio impregnó cada una de sus palabras—. Haz cualquier cosa para convencerla. Hazlo. Me habré ido antes de esta noche.

Veintinueve

$\mathcal{K}$ylie se sentó y escuchó pacientemente la docena de mensajes de voz que le habían dejado Chessy, Josh y Dash. Degustaba un café fuerte en una pequeña cafetería del barrio en el que buscaba una casa.

Era increíble lo productiva que podía llegar a ser cuando no se emborrachaba como una loca con todo el vino que había consumido durante la última semana.

Se le había encendido la bombilla al comprobar que se había quedado sin vino y contemplar, asqueada, la cantidad de botellas vacías que ensuciaban la cocina. Suficiente. Había llegado el momento de retomar su vida.

Se estremeció al escuchar el mensaje de Dash. Jensen había dejado el despacho y trabajaría en otra oficina. Dash quería que Kylie moviera el culo de vuelta al trabajo y que llamase a Joss antes de que se volviera loca.

La culpa la abrumó. Había evitado a sus amigos —a todos— durante toda la semana. Había escuchado el incesante sonido del timbre y los golpes en la puerta. Habría apostado a que los golpes eran de Chessy. Era una persona bastante persistente cuando se le metía algo en la cabeza. No obstante, la confusión causada por el alcohol solo le había permitido quedarse espatarrada en la cama mirando el techo mientras rezaba para que Joss y Chessy se rindiesen y se marcharan.

Aunque había puesto su casa a la venta el lunes, no comenzarían a enseñarla hasta el lunes siguiente. Ese detalle, unido a la toma de conciencia de la cantidad de vino que había bebido, le había dado la motivación suficiente para dejar de beber y sacar el culo de casa.

Escuchó el resto de los mensajes e hizo una mueca avergonzada al escuchar que Joss le suplicaba que la llamase. La voz de Joss traicionaba sus lágrimas. Dash la mataría por darle ese disgusto, y no podía culparlo.

Tarde o temprano tendría que dar la cara. No podía esconderse para siempre. Jensen no era un miembro habitual de su grupo de amigos. Básicamente, se había integrado en él a través de ella, así que tampoco tenía que preocuparse por si se lo encontraba al ir a ver a las chicas. Lo habría perdido a él, pero no estaba dispuesta de ningún modo a perder también a sus amigas.

Tenía una jaqueca terrible a consecuencia de todo el vino que había bebido. Apenas era capaz de recordar los últimos cinco días.

Solo quería acercarse a la tienda, comprar más vino, retirarse a su casa y beber. Mucho.

Sin embargo, lo que debía hacer de verdad era mandar un mensaje de texto a Joss y Chessy y terminar de una vez con esa situación.

Suspiró y tecleó un mensaje rápido para ambas.

ESTOY LISTA PARA IR A VEROS Y SOLTARLO TODO.
¿PODRÍA SER CON VINO?

Pulsó el botón de enviar y dejó el teléfono sobre la mesita. Sabía que tenía un aspecto espantoso. Más de uno de los clientes de la cafetería le había dedicado una mirada de desaprobación. ¿Qué aspecto iba a tener después de que la dejase su novio y de pasar el resto de la semana anulada por el alcohol?

El teléfono emitió una señal y lo miró, insegura.

ESPABÍLATE Y VEN A MI CASA AHORA MISMO.
SÍ, HABRÁ VINO. ¿PODÉIS VENIR AHORA MISMO?

Era de Joss. Antes de que pudiera contestar, sonó la señal del mensaje de Chessy.

> ¡VOY VOLANDO! TARDO QUINCE MINUTOS COMO MUCHO.
> JOSS, ¿TIENES SUFICIENTE VINO O QUIERES QUE LLEVE MÁS?

Kylie sonrió. Se sentía algo más aliviada.

> DE ESO ME ENCARGO YO. ¡VENID YA!

Tecleó su respuesta y la envió:

> VOY DE CAMINO. TARDO VEINTE MINUTOS,
> DEPENDE DEL TRÁFICO.

Agarró las llaves, engulló el resto del café y se dirigió a la puerta.

Estaba aterrorizada. No se iba a engañar. La idea de confesar toda su desesperación a cualquier persona hacía que se le encogiera el estómago. No obstante, debía recordar que se había prometido ser más abierta con sus amigas. Sus mejores amigas. No eran unas cualquiera. Eran especiales.

Condujo en un silencio tenso. Había estado a punto de atravesar el parabrisas de un puñetazo cuando una de esas canciones empalagosas sobre una ruptura había sonado en la radio vía satélite del coche. El silencio, aunque fuera insoportable, era preferible a escuchar una canción que narrase sus problemas en tiempo real.

Veintidós interminables minutos más tarde, Kylie detuvo el coche en el camino de entrada de la casa de Joss y se quedó sentada en el interior un largo rato, reuniendo valor para entrar. Si no salía pronto, Chessy y Joss irían a buscarla y la harían entrar arrastrándola de los pelos.

Se obligó a salir del coche y caminar hacia la puerta. Cuando estaba a punto de llegar, se abrió súbitamente. Dash. Doble puñalada. Ya era bastante complicado enfrentarse a sus amigas, pero tener que hacer frente también a su jefe era demasiado. ¿Por qué no había dejado claro a Joss que era un encuentro reservado a chicas?

Dash la miraba fijamente y empalideció en cuanto ella se acercó más a él.

—Me dijo que te había hecho daño, pero pensé que se refería al terreno emocional —dijo Dash apretando los dientes—. ¿Qué narices te ha hecho, Kylie? Lo mataré por esto.

Alzó una mano para intentar ocultar el moratón de la garganta, pero era demasiado tarde. Dash ya había visto las marcas en su pálida piel.

Joss pasó volando junto a Dash y se arrojó sobre Kylie justo cuando alcanzaba el escalón superior. Rodeó a Kylie con los brazos y la abrazó como si le fuera la vida en ello.

Kylie miró a Dash por encima del hombro de Joss y vio que estaba carcomido por la rabia.

—No es lo que piensas —dijo en voz baja.

—Entonces, ¿qué es? —preguntó Dash en un tono gélido.

—Déjala en paz, Dash. Nos lo contará a Chessy y a mí, y si hay que partirle la cara a alguien, te pasaremos el parte —intervino Joss.

Kylie casi se desmayó del alivio. Adoraba a sus amigas. ¿Por qué las había ignorado durante toda la semana? Podría haber ido a verlas hacía días y refugiarse en el cariño y el apoyo de sus mejores amigas en lugar de quedarse en casa borracha perdida, sola y sintiéndose miserable.

Joss tomó a Kylie de la mano y la llevó dentro de casa pasando junto a Dash. Dash no parecía muy contento, pero reprimió la respuesta y dejó que Joss se saliera con la suya. Gracias a Dios.

—Cariño, no te nos acerques mucho durante un rato —dijo Joss—. Es una noche solo de chicas, y el código de las chicas dice que «lo que pasa en el grupo, se queda en el grupo» y que «no se permite la entrada a hombres».

Dash puso los ojos en blanco.

—Estaré en el dormitorio viendo la televisión, pero espero un informe cuando acabéis. Joss, no lo dejaré pasar. Si ese hijo de perra le ha puesto la mano encima, lo descuartizaré.

—Me encanta cuando se pone en plan macho alfa —susurró Joss a Kylie—. Le saltaría encima ahora mismo.

Kylie gruñó.

—¿En serio, Joss? Me acaban de dejar y tú me haces rabiar con lo macho alfa que es Dash. No es justo.

Joss frunció el ceño con una expresión comprensiva.

—¿Te dejó él?

—Eh, nada de hablar hasta que estéis aquí dentro y os pueda escuchar —protestó Chessy mientras las dos mujeres entraban en el salón.

Chessy se levantó de su puesto en el sofá, se acercó corriendo y abrazó a Kylie.

—No vuelvas a darnos un susto así nunca más —dijo Chessy—. Kylie, Joss y yo hemos estado muy preocupadas. ¿Qué ha pasado, cariño? ¡Tienes un aspecto horrible!

A continuación, se echó atrás y miró la cara y el cuello de Kylie. Joss y Chessy soltaron un grito ahogado.

—¿Eso te lo ha hecho él? —preguntó Chessy con la voz entrecortada.

Kylie suspiró.

—Chicas, es una historia muy larga. ¿Podemos sentarnos y abrir una botella de vino o tres? Lo necesitaré para hacer esto.

—Vienen de camino —anunció Joss.

—Necesitaré tres copas como mínimo antes de empezar a largar —murmuró Kylie.

—Entonces bebe, y date prisa, porque queremos escuchar hasta el último detalle —le advirtió Chessy.

Joss volvió un instante más tarde, sosteniendo una botella de vino con ambas manos. En la mesita de café ya había copas. Joss sirvió vino en todas las copas y pasó una a Kylie.

Bebió con ansia y vació la copa en cuestión de segundos. Joss arqueó una ceja, pero enseguida sirvió de nuevo a Kylie.

—En ocasiones como esta me pregunto si no debería beber algo un poco más fuerte —dijo Kylie.

—Bueno, si vamos a pillar una cogorza de las buenas, os sugiero que asaltemos el mueble bar de Dash —propuso Chessy.

Joss frunció el ceño.

—Si vamos a pillar una cogorza de las buenas, ninguna de las dos volverá a casa esta noche. Le daré las llaves de vuestros coches a Dash y tendréis que hablar con él antes de marcharos.

Kylie y Chessy refunfuñaron, pero le entregaron las llaves. Joss fue un momento a dejárselas a Dash y regresó al salón.

—Muy bien, ¿qué desean las señoras? —preguntó afectadamente mientras abría el mueble bar.

—¿Cómo era el dicho? —caviló Chessy—. ¿Cerveza y después licor, no hay resaca peor? ¿Licor y después cerveza, mejor para la cabeza? ¿También cuenta para el vino?

Kylie frunció el ceño. Ya estaba un poco mareada por las dos copas de vino que había engullido a toda prisa.

—¿Y el vino sustituiría a la cerveza o al licor? ¿Eso significa que voy a vomitar hasta la primera papilla porque he bebido licor después de beber vino?

—Cariño, dentro de un rato todas vomitaremos hasta la primera papilla —replicó Chessy en un tono seco—. Venga, Joss, elige lo que sea y continuemos.

Joss se encogió de hombros, metió la mano en el mueble bar y sacó dos botellas de licor. Las colocó sobre la mesita de café y luego sacó vasos de chupito del armario.

—Yo voto porque los sirvamos todos para empezar —propuso Chessy—. Si los servimos después de beber mucho, dejaremos el salón de Joss hecho un desastre.

—Buena idea —dijo Kylie—. Llénalos, Joss.

Joss alineó cuidadosamente una docena de vasos de chupito y se puso a llenarlos.

Chessy cogió dos y pasó uno a Kylie. Le dio el otro a Joss y tomó uno de la mesita de café para ella. Después levantó su vaso para brindar con Joss y Kylie.

—Por lo cabrones que son los hombres —brindó Chessy.

—Brindo por ello —dijo Kylie.

—Yo también si excluimos a Dash de la afirmación —dijo Joss.

Chessy miró al techo.

—Ya se ha comportado como un cabrón otras veces, y lo volverá a hacer. Bebe con nosotras, maldita sea.

Joss se rio e hicieron chocar los vasos.

Entonces tragaron el alcohol.

A Kylie se le llenaron los ojos de lágrimas, le ardía la nariz y estuvo a punto de atragantarse mientras un río de fuego le bajaba por la garganta hacia el estómago.

—¡Dios mío, es espantoso! —balbució Kylie.

—No se bebe porque esté bueno —dijo Chessy—. Se bebe por lo que hace. Dale otra, Joss. Tenemos que soltarle la lengua.

Joss pasó otro vaso a Kylie y a continuación Chessy y ella le ordenaron que bebiera.

El segundo vaso bajó mejor que el primero. Menos mal.

Se recostó en el sofá para que su estómago se calmase y para ceder el control al alcohol.

—Me he pasado toda la semana borracha —admitió Kylie.

—Cariño, ojalá hubieras abierto la maldita puerta —protestó Chessy—. No habrías tenido que beber sola. No tengo ningún problema en ser tu compañera de borracheras.

—No podía —explicó Kylie sin convicción—. Tenía que tomar algunas decisiones.

—¿Cómo dejar el trabajo y poner tu casa a la venta? —preguntó Joss.

Kylie hizo una mueca.

—Sí, ese tipo de cosas.

—¿Qué narices ha pasado, Kylie? ¿Y cómo demonios te has hecho esos morados? —preguntó Chessy.

Kylie cerró los ojos para intentar contener las lágrimas que le abrasaban los párpados. Pensó que ya había llorado tanto como podía y que ya no le quedaban lágrimas por derramar. Al parecer, se equivocaba.

Joss y Chessy se sentaron flanqueándola. Chessy la rodeó con un brazo mientras Joss le apartaba el pelo de la cara con suavidad.

—Cuéntanos, Kylie. Nos tenías muy preocupadas —le dijo Joss en su tono dulce y cariñoso.

—No me hizo daño a propósito —dijo Kylie—. Nunca haría algo así. Yo lo sé, pero él no. Como mínimo, ahora no lo sabe.

—Cielo, lo que dices no tiene sentido. Frena un poco y comienza por el principio —la animó Chessy.

Kylie suspiró, pero hizo lo que le pedían sus amigas. Narró toda su triste historia desde el momento en que había confesado su pasado a Jensen y llegando hasta el presente. No se guardó ni un solo detalle. Les contó que había pasado toda la semana con una botella de vino en la mano y llorando hasta exprimir la última lágrima.

—Caramba —exclamó Joss—. Ha sido una historia muy dura, cielo. Pobre Jensen. No me puedo imaginar lo que debió sentir al despertarse y ver sus manos alrededor de tu cuello. Si a Dash le pasara algo parecido, se moriría.

—A eso me refería, precisamente —dijo Kylie—. Jensen nunca haría nada para hacerme daño. Fue un sueño, una pesadilla. No sabía lo que hacía, pero después me hizo el vacío. Le faltó tiempo para dejarme. ¿Cómo leches vas a convencer a alguien de que se equivoca si no se queda el tiempo suficiente para hablar contigo?

Permanecieron un rato en silencio y entonces Chessy tomó la botella y sirvió un nuevo chupito para cada una.

Kylie lo engulló agradecida con la esperanza de que el mareo se apoderase pronto de ella. Un bálsamo para aliviar el dolor de su alma. Al menos, durante un rato no sentiría nada salvo el cálido zumbido del alcohol. Y pensar que siempre había detestado la idea de emborracharse… La última semana le había enseñado muchas cosas sobre sus antiguas ideas y costumbres.

Tendió el vaso a Chessy y le indicó con un gesto que le sirviese otro.

Después de beber el cuarto chupito, Kylie ya sentía sus efectos sin lugar a dudas. ¿Por qué demonios continuaba llorando y sorbiéndose los mocos como una imbécil?

Se volvió a recostar en el sofá, miró el techo y esperó a que se pusiera a dar vueltas.

—Debería haberlo sabido —dijo Kylie en un tono que volvía a sonar desesperado—. Nunca he sido optimista. Desde muy joven, me condicionaron para esperar lo peor. Sin embargo, no me lo esperaba, aunque debería haberlo visto venir. Estaba segura de que Jensen era mi hombre. Estaba tan emocionada con la alegría de haber superado tantas cosas y poder tener una relación que ni siquiera se me pasó por la cabeza que no estaríamos juntos. Fui una estúpida. A lo mejor más adelante podré decir que fue porque era la primera vez que me enamoraba. ¿Quién leches puede querer pasar por todo esto cada vez que cortas con alguien?

—Amén —murmuró Chessy.

Kylie volvió la cabeza para mirar a su amiga, aunque de momento había dos Chessys.

—¿Cómo vais Tate y tú?

Chessy hizo una mueca.

—Bien. No muy bien. No lo sé.

—Me siento culpable por ser tan asquerosamente feliz —dijo Joss con tristeza.

Kylie extendió el brazo y le cogió la mano.

—No te sientas culpable. Mereces ser feliz. Tú ya has vivido tu parte del infierno.

Bebieron otro chupito. Y luego otro porque sí. En algún momento cuando estaban acabándose la primera botella, terminaron en el suelo, frente a la chimenea.

—¿Sabías que tu techo está dando vueltas? —preguntó Chessy a Joss.

—No es el techo. Es tu cabeza —respondió Kylie en tono sabio.

—¿Y qué vamos a hacer respecto a Jensen? —aventuró Joss, reconduciendo la conversación a la situación de Kylie.

La rabia se adueñó de Kylie. Era la primera vez que se sentía cabreada. Realmente cabreada. Durante la última semana, había experimentado muchas emociones cambiantes. Básicamente habían sido de tristeza y dolor, pero no de auténtica ira.

El sentimiento la golpeó como un tren de mercancías y le nubló la mente hasta el punto de que todo lo que veía se volvió de color rojo.

¿Cómo se atrevía Jensen a rendirse sin más? Estaba dispuesto a soportar los problemas de ella y a darle el tiempo que fuera necesario para superarlos y trabajar en ellos. ¿Acaso esperaba que ella se echara atrás en cuanto sus problemas fuesen mayores que los de ella?

—Estoy cabreada —anunció Kylie, aunque sonó como si lo hubiese dicho alguien desde el otro extremo de la habitación.

—Deberías estarlo —dijo Chessy.

—Estoy de acuerdo —coincidió Joss solemnemente.

—Un momento. ¿Por qué estamos cabreadas? —preguntó Chessy en un tono confundido.

—Por Jensen —le informó Kylie.

—Ah, sí —recordó Chessy.

—¿Qué le da derecho a dar por perdida nuestra relación de esa manera? —se preguntó Kylie.

—Ese es el espíritu —la animó Joss.

—Estaba completamente dispuesto a atarse a la cama por mí, a darme el tiempo necesario para superar mis problemas. ¿Espera que yo meta la cola entre las piernas y eche a correr en cuanto sus problemas asomen la cabeza?

Kylie se incorporó y lo lamentó de inmediato. La habitación comenzó a dar vueltas a su alrededor alocadamente y tuvo que cerrar los ojos para no vomitar.

—¡Eso es! —exclamó al recuperarse—. ¡Dios mío, qué idiota soy!

—¿Qué pasa? —preguntaron Joss y Chessy a coro.

Kylie se dio una palmada en la frente y se dejó caer hacia atrás con un gemido.

—Creo que deberías ir con cuidado cuando hagas eso —le aconsejó Chessy—. Te acabarás noqueando sola.

—¿Te importaría compartir con nosotras tu iluminación? —la invitó Joss.

—Lo voy a atar a la cama —anunció Kylie—. Un momento. Primero me hará el amor. Sin la dichosa cuerda. Después, cuando nos vayamos a dormir, lo ataré —dijo triunfalmente.

—Estoy algo confundida —confesó Chessy—, pero puede que solo sea por el alcohol. Tendrás que explicarte, cariño. Soy un poco tonta cuando bebo.

Joss y Kylie se rieron.

—Insistió mucho en el asunto de que lo atara a la cama cuando hacemos el amor para que yo supiera que no me podía hacer daño y para que supiera que estaba a salvo. Perfecto, pues el motivo por el que me dejó, o al menos el motivo que me dio para dejarme, fue que le daba miedo hacerme daño. Entonces, si lo ato a la cama mientras duerme y tiene una pesadilla, ¡tachán! No podrá tocarme —dijo en un tono confiado.

—Eres un puto genio —se admiró Chessy.

—Brindo por ello —propuso Joss.

—Oye, a lo mejor tendríamos que aflojar con el alcohol —aconsejó Chessy.

—Sí, tengo que estar sobria cuanto antes —dijo Kylie.

—¿Y eso por qué? —preguntó Joss.

Kylie se incorporó de nuevo y se sostuvo sobre una mano para no caerse encima de Chessy.

—Porque en cuanto esté sobria, pienso ir a su casa. ¡Si cree que me puede abandonar por mi propio bien y dejarme hecha polvo, está muy equivocado!

—¿Señoras? No quisiera interrumpir una conversación sin duda apasionante pero ¿os habéis dado cuenta de la hora que es, que lleváis horas bebiendo y que estáis tumbadas en el suelo?

Volvieron la cabeza hacia el lugar del que procedía la voz de Dash. Joss le dedicó una sonrisa deslumbrante.

—Hola, cariño —saludó en un tono encantador—. ¿Has venido para llevarme a la cama?

Dash se rio.

—Como al parecer ninguna de vosotras será capaz de llegar a la cama a menos que os lleve, creo que podríamos decir que he venido a llevaros a la cama.

Kylie frunció el ceño.

—No me puedo ir a la cama todavía. Tengo que planear una seducción. Oye, Dash, tú eres un tío.

—Joder, eso espero —confirmó Dash, bromeando.

Kylie lo señaló.

—Entonces, si una mujer se te echa encima desnuda, no le dirás que no, ¿verdad?

Dash soltó una risita.

—Creo que depende de la mujer que se me eche encima.

—Puedes apostar por ello —intervino Joss—. ¡Si alguna se te echa encima me la cargo!

—Cálmate, cielo. Eso no pasará. ¿Habéis terminado por esta noche, chicas? Kylie, creo que deberías descansar un poco para que tu plan de seducción no se tuerza. También puede ser que quieras replantearte las cosas en cuanto estés sobria. Puede que entonces pienses que el alcohol ha tomado esa decisión por ti.

Kylie hizo una mueca.

—Dash, eres todo un aguafiestas.

—Lo siento, preciosa.

Joss suspiró.

—¿Queréis ir a dormir? Chessy, Kylie y tú podéis compartir la cama de invitados. Es una cama de matrimonio grande, tendréis espacio de sobra.

—Últimamente duermo tantos días sola que tener a alguien que me acompañe en la cama será una novedad. Aunque solo sea Kylie —dijo Chessy con tristeza.

Dash se inclinó sobre Kylie y pasó los brazos por debajo de su cuerpo. Al levantarla, Kylie notó que se le agitaba el estómago y rogó para no vomitar encima de Dash. No podría soportar una humillación de ese calibre.

—Voy a acomodar a Kylie. Me parece que está un poco más borracha que vosotras dos —dijo a Joss—. Volveré a buscaros en cuanto deje a Kylie en la cama.

Joss agitó la mano en el aire como si todo le diera igual. ¿Por qué no le iba a dar todo igual? Tenía un marido maravilloso que la quería con locura.

Si no quisiera tanto a Joss, no le costaría mucho odiarla.

Dash entró en la habitación de invitados y dejó a Kylie en la cama. A continuación, fue al lavabo y volvió con una palangana de plástico que dejó en el suelo, junto a la cama.

—Si tienes que vomitar, basta con que saques la cabeza fuera de la cama —dijo con suavidad—. Puede que tengas problemas para llegar al baño a tiempo.

—Eres el mejor, Dash —murmuró—. Joss es una cabrona con mucha suerte.

La risita de Dash fue lo último que escuchó antes de que se le apagaran las luces y se quedara frita.

Treinta

A Kylie le dolía la cabeza como si alguien se la hubiera golpeado con un martillo neumático. Tenía la boca seca y solo pensar en alcohol le daba ganas de vomitar.

En su momento le había parecido una buena idea, pero ya no se lo parecía tanto.

Dash las había dejado dormir, y cuando se levantaron y entraron dando tumbos en la cocina, ya les había servido el desayuno y un brebaje asqueroso que les juró que curaba la resaca.

Mentía como un bellaco.

Salió del coche lentamente y volvió a echar un vistazo para asegurarse de que Jensen estaba en casa porque su coche estaba aparcado. Por suerte para ella, todavía tenía la llave, así que no tenía que preocuparse por si hacía como ella y no le abría la puerta.

Era sábado. No trabajaba. Y era bastante temprano para encontrar a Jensen todavía en la cama.

Esa posibilidad la animaba considerablemente. Sin duda, haría que sus planes de seducción fuesen más fáciles de llevar a cabo.

Sacudió la cabeza al pensar en la idea. ¿Ella una seductora? En el cielo, alguien debía de estar partiéndose de risa.

Se detuvo un momento ante la puerta principal y reflexionó si debía usar la llave o llamar.

Como el factor sorpresa era importante, se decantó por la llave.

La metió en la cerradura intentando hacer el menor ruido posible. Abrió la puerta y echó un vistazo al interior.

De momento no había moros en la costa.

Al llegar a la entrada del salón, se quedó helada contemplando la escena frente a ella.

Jensen estaba espatarrado en el sofá, con la cabeza echada hacia atrás, profundamente dormido o grogui por el alcohol. A juzgar por las botellas tiradas por todas partes, la segunda opción era la más probable.

Si no fuese una estampa tan familiar, Kylie podría haberse enfurecido.

Ambos daban lástima. Eran claramente infelices separados. Era toda una suerte que uno de los dos tuviera dos dedos de frente. Esa mierda se iba a acabar de inmediato.

—Jensen. ¡Jensen! —dijo más fuerte—. Ponte las pilas. —Se acercó más a él y se inclinó para hablarle directamente a la cara—. ¡Despierta, Jensen!

Jensen parpadeó perezosamente y de pronto pareció darse cuenta de quién estaba sobre él en su salón.

—Otro sueño —murmuró—. He bebido demasiado. Me cago en...

—No soy un sueño. Más bien soy una pesadilla, pero lo solucionaremos —lo corrigió Kylie, divertida.

Jensen volvió a parpadear y se frotó los ojos con el brazo. Finalmente, frunció el ceño.

—¿Qué narices haces aquí?

—Genial. Yo también me alegro de verte, Jensen. ¿Qué tal te ha ido todo? Espera, no contestes. Creo que es bastante obvio a juzgar por las botellas de licor vacías.

Se inclinó más, hasta quedar justo sobre su cara, y le hizo una mueca.

—Te juro por Dios que si no se te levanta porque tienes demasiada resaca te mataré.

Jensen estaba boquiabierto y le olió el aliento. Aceptable, podía superarlo. No apestaba demasiado, así que supuso que hacía horas que había bebido. Posiblemente había sido la noche anterior y había estado durmiendo la mona hasta ahora.

—¿Qué cojones dices? —preguntó Jensen—. No deberías estar aquí. Hemos terminado, Kylie.

—Tú sigue hablando y a lo mejor hasta te convences —le espetó Kylie con una sonrisa burlona—. Yo sé que es mentira, y tú también lo sabes perfectamente.

—¿Qué quieres de mí? —preguntó Jensen, desconcertado.

Kylie le tocó la mejilla y le miró directamente a los ojos para que viera que hablaba completamente en serio.

—Jensen, ¿confías en mí?

—Claro que sí —replicó bruscamente—. No desconfío de ti, sino de mí. Maldita sea, ¿por qué lo haces tan difícil, joder? ¿Querías ver lo mal que me siento? Pues echa un vistazo a tu alrededor. Así soy yo sin ti.

A Kylie se le derritió el corazón de inmediato. La vulnerabilidad dolorida de su voz la deshizo.

—Demuéstramelo —lo retó.

—¿Qué quieres que te demuestre?

Parecía cada vez más irritado, y tenía que actuar rápido antes de que la echara de su casa. Otra vez.

—Que confías en mí —dijo con suavidad.

—No hay nada que demostrar. Confío más en ti que en nadie en el mundo.

—Entonces ven al dormitorio conmigo —le pidió.

Jensen cerró los ojos.

—No puedo hacerlo, Kylie. Por favor, no me lo pidas.

—Te pido que confíes en mí. Has dicho que confiabas en mí, pues ahora demuéstramelo. Por favor —añadió, y las dos palabras sonaron ahogadas.

—Perfecto. Iremos al dormitorio. ¿Después me dejarás en paz de una puta vez?

—¿Tanta prisa tienes por librarte de mí, Jensen? ¿Tu idea del amor significa olvidar tan rápido a alguien a quien quieres, o a quien teóricamente quieres?

Se levantó del sofá impetuosamente y con un brillo peligroso en los ojos. Antes, un movimiento así la habría aterrorizado y la habría sumido en un ataque de pánico. En ese momento, no obstante, se sentía muy aliviada por haber recuperado como mínimo una parte del viejo Jensen en lugar de tener que aguantar a aquel hombre patético y destrozado que había bebido hasta olvidar quién era.

Ella había hecho lo mismo. Si no hubiera hundido la cabeza tan profundamente en la tierra, podría haber tenido aquella iluminación mucho antes y ninguno de los dos habría tenido que pasar una semana entera de desesperación.

—No te atrevas a poner en duda que te quiero —espetó Jensen furiosamente—. Precisamente por eso quiero que estés tan lejos como puedas de mí.

Kylie pasó por alto el comentario brusco y, aliviada por haber logrado que se pusiera de pie y no tener que intentar levantarlo ella, le tomó la mano y lo llevó hacia el dormitorio.

Al llegar, se dio la vuelta, le puso las manos sobre el pecho y lo miró directamente a los ojos.

—Recuerda lo que has dicho. Lo de la confianza.

—Lo recuerdo —confirmó Jensen en un tono tenso.

Asintió, se volvió hacia la cama y comenzó a desnudarse. Rezó brevemente para que aquello saliese como esperaba.

—¿Qué demonios haces, Kylie? Tú…

Dejó la frase a medias y se quedó boquiabierto cuando ella se volvió hacia él, completamente desnuda.

Cerró los ojos y soltó un gruñido.

—¿Por qué me torturas de esta manera?

Bajó los dedos por su torso y los llevó hasta la cremallera de los tejanos. Entonces, alzó la boca y posó los labios en los de él.

Al principio, Jensen no respondió. Se contuvo, tenso, mientras ella exploraba su boca. Luego, separó los labios y se le escapó una bocanada de aire. Lentamente, la rodeó con los brazos y la sujetó con firmeza.

Kylie apartó la boca para tomar aire. Le besó el lóbulo de la oreja y susurró suavemente:

—Hagamos el amor, Jensen. De verdad, hagamos el amor. Sin cuerda. Solo tú y yo.

A Jensen se le escapó un gemido. El sonido parecía surgir de su misma alma. Era un sonido de agonía… Y necesidad.

—Has dicho que confiabas en mí —insistió Kylie con dulzura—. Hazlo por mí, Jensen. Confía en mí. Hazme el amor.

La llevó caminando de espaldas hacia la cama, quitándose la ropa por el camino hasta quedar desnudo como ella. La deseaba, no cabía duda. Su cuerpo no podía mentir al respecto. Daba igual lo que dijera o pensase, la deseaba tan desesperadamente como ella a él.

Tocó el borde de la cama con la parte trasera de los muslos y se dejó caer. Aterrizó sobre el colchón con Jensen encima de ella.

—Quiero que estés segura de que es lo que quieres, cielo —dijo él sin aliento—. Si quieres parar en cualquier momento, dilo. Pararé por mucho que me cueste.

Le acarició la cara, recorriendo las duras facciones de su mandíbula.

—No quiero que pares, Jensen.

Jensen gimió y agachó la cabeza para besarla. La besó con prisa, dejando brotar toda su necesidad como un río ardiente. Sentía el cuerpo de Jensen duro y pesado sobre ella, y se regodeó en la sensación.

Acomodaba la erección de Jensen entre sus piernas y podía sentirla, dura y palpitante, sobre el clítoris. Se retorcía, inquieta, quería, necesitaba. No quería esperar. Quería notarlo dentro. Quería sentirse completa por primera vez en una semana.

—Jensen —susurró—. Hazme el amor. Ahora mismo, por favor.

Jensen pasó por alto su petición y trazó una línea de besos por el cuerpo de Kylie. Le lamió los pezones y los acarició con la lengua hasta forzarlos a convertirse en dos picos dolorosos y tensos. Se tomó su tiempo, saboreándola y sorbiéndola hasta que creyó que se volvía loca de ansiedad.

Continuó bajando por su cuerpo y se detuvo en el ombligo para juguetear y torturarla con la lengua. Ella le clavó los dedos en los hombros y lo empujó hacia abajo con la esperanza de que captara el mensaje.

Jensen se rio por lo bajo, pero obedeció la petición silenciosa. Besó los rizos de la cima de las piernas de Kylie. Los muslos de ella se relajaron y se separaron de inmediato, lo estaba invitando a explorar su zona más sensible.

La rozó y la acarició con los dedos antes de separar al fin los pliegues suaves de su piel. Kylie sintió el resoplido de su respiración y se retorció. Todo su cuerpo se tensó, expectante, esperaba el momento en que le diera lo que ella deseaba.

Entonces, la lengua de Jensen vibró sobre el clítoris y ella arqueó la espalda al tiempo que un gemido se escapaba de sus labios. Volvió a agitar la lengua antes de sorber la protuberancia y metérsela en la boca.

Kylie gimió sin control. Su garganta comenzó a sollozar. Eran sollozos desesperados de necesidad. Tanta necesidad. Lo había echado de menos. Nunca había sentido ese tipo de conexión con otro ser humano. Estaba perdida sin él. Sentía un dolor en el alma que solo él podía aliviar.

Él puso la boca en su entrada e introdujo la lengua, se la folló con la lengua. La besó y la lamió hasta hacerle perder la cabeza. Repitió el nombre de él una y otra vez, una plegaria rota para que le hiciera el amor, una letanía que repetía su lengua.

Y por fin, por fin, se levantó sobre ella, ajustando el cuerpo al de ella mientras la miraba con sus intensos ojos oscuros. Ella buscó en la mirada de Jensen lo que sentía él, si estaba tan desesperado como ella, si la había echado de menos aunque solo fuese la mitad que ella a él.

Lo que vio arder en la profundidad de esos ojos la dejó sin aliento y la llenó de esperanza.

Vio amor. Todavía amor. No se había ido. Todavía la amaba. Podían superarlo. Él la quería y ella le quería. Se negó a contemplar cualquier otra posibilidad.

Debían estar juntos.

—¿Estás bien? —preguntó Jensen, todavía situado en el borde de su entrada.

—Esto es lo que quiero —susurró—. Te deseo, Jensen. Sin ti me sentía sola y vacía.

—Dios mío, cariño, a mí me pasaba lo mismo. Ni te imaginas lo mal que lo he pasado.

—Pues haz algo al respecto —propuso con suavidad—. Haz que volvamos a ser uno.

La tomó entre sus brazos y se la acercó en el preciso momento en que se hundía en ella. Ella gimió de placer mientras Jensen presionaba para penetrarla más profundamente. Kylie levantó las caderas tanto como pudo, lo estaba invitando a llegar más adentro.

Todo el cuerpo de Jensen estaba tenso. Sus músculos vibraban y se retorcían por el esfuerzo agónico de mantener el control.

Kylie le hundió las uñas en los hombros, levantó la cabeza y le susurró al oído:

—No me harás daño, Jensen. Confío en ti. Te quiero. No te contengas. Conmigo no. Enséñame quién eres, porque esa es la persona a la que quiero.

Esas palabras hicieron añicos el resto del control que Jensen conservaba. Un gemido agónico salió de sus labios justo en el instante en que empujó con fuerza para hundirse en ella tan profundamente como podía.

Su cuerpo se arqueó sobre el de ella y a su alrededor, protegiéndola. La sujetó con firmeza y sus cuerpos se ondularon en una sincronía perfecta. Kylie levantó las piernas para envolverlo, y tiró de su cuerpo hacia ella para que no hubiese distancia entre ellos.

Jensen se alzaba y se volvía a hundir en ella, una y otra vez, y el cuerpo de ella se elevaba con avaricia hacia él cada vez que él salía. Se aferraba a él, no había duda alguna de que lo deseaba tanto como él a ella.

Su pasión se volvió febril. Iba muy rápido. Sin embargo, llevaban demasiado tiempo separados. Tenían el cuerpo y el alma en llamas. Dos mitades que formaban una sola unidad se habían reunido al fin. No pensaba permitir que se fuera. Le daba igual lo que dijese o lo que intentara hacer, ella nunca permitiría que se fuese. Aunque tuviese que seguirlo al fin del mundo, era suyo y no lo pensaba dejar marchar. Nunca.

Lo besó desesperadamente, su orgasmo inminente la enloquecía de deseo. Las bocas de ambos se abrasaban y las lenguas se hundían profundamente, acariciando y saboreando. El sonido de sus cuerpos y sus bocas al chocar era lo único que se escuchaba en la habitación. Se movían como una sola persona en perfecta sincronía.

Eran uno.

Mejor juntos que solos.

—¿Estás llegando, nena? —preguntó Jensen bruscamente—. Quiero que lleguemos juntos.

—Sí —respondió Kylie con un largo suspiro—. Estoy llegando. Llévanos al otro lado, Jensen.

Jensen pasó la mano entre ambos y acarició el clítoris con el pulgar mientras la penetraba firme y profundamente. Un caleidoscopio de color y sensaciones se apoderó de la visión y de todo el cuerpo de Kylie.

Clavó la mirada en la de él porque no se quería perder ni un detalle de sus ojos cuando Jensen tuviera el orgasmo. Los ojos no mentían. Eran una ventana abierta a su alma.

Lo que vio en esas oscuras cavernas la llenó de alegría y alivio.

La quería. La deseaba. La echaba de menos cada vez que respiraba.

Jensen la envolvió con su cuerpo y los hizo llegar a ambos, llevando a Kylie consigo. Se sintió como una hoja en otoño, arrancada por el viento y que vuela sin control. Llevada por el viento.

Sintió como si cayera lentamente, mareada y satisfecha, hasta volver a posarse en la cama con el cuerpo cálido de Jensen sobre el de ella, protector.

Jensen apoyó la cabeza en su cuello y ella sintió que él se debatía por alcanzarla. Respiraba entrecortadamente y su pecho oscilaba con violencia.

Le pasó los dedos por la espalda, hacia arriba y hacia abajo, mientras él palpitaba profundamente en su interior.

Al fin se sintió completa. Después de tantos días de sentirse perdida, había vuelto a casa. Justo al lugar al que pertenecía.

Pero todavía le quedaba una cosa por hacer.

Se volvió, tratando de sacudirse de encima el peso de Jensen y moverse a un lado. Cuando se dio cuenta de lo que intentaba, Jensen rodó hasta que ambos quedaron de lado.

—Perdona, cielo, ¿te hacía daño? —preguntó preocupado.

Kylie le puso un dedo en los labios para hacerlo callar.

—Vuelvo enseguida —murmuró—. No te muevas.

Se levantó de la cama sin hacer caso a la mirada inquisitiva de Jensen. El corazón le palpitaba violentamente. Era el momento de la verdad. Si él la rechazaba, no sabría qué hacer. Tenía que funcionar. Tenía que convencerlo de que creía en él.

Sacó la cuerda del cajón, regresó a la cama e ignoró su expresión confundida. Antes de poder echarse atrás, y antes de que él se diera cuenta de lo que estaba haciendo, formó un lazo alrededor de la muñeca izquierda de Jensen y la ató a la cama.

Tras asegurar el nudo, se volvió a acomodar en la cama y se acurrucó junto a él, plenamente satisfecha y llena. Entonces, esperó a que llegase la pregunta inevitable.

—¿Qué haces, Kylie? —preguntó Jensen con una expresión perpleja grabada en la frente.

Kylie respiró hondo y lo miró directamente a los ojos.

—Nadie confía en ti más que yo —comenzó—, pero tú tienes que confiar en ti mismo tanto como yo. No necesito que estés atado a la cama para hacer el amor contigo. Te lo acabo de demostrar, y también me lo he demostrado a mí misma. Sin embargo, al menos hasta que estés tan seguro como yo de que nunca me harás daño, te propongo que te atemos a la cama para dormir. Así, aunque tengas una pesadilla, será imposible que me hagas daño.

Jensen parecía totalmente superado. Las lágrimas brillaban en sus ojos; unos ojos llenos de amor y… alivio.

—Ven aquí —la invitó Jensen con la voz entrecortada.

Kylie se acurrucó entre sus brazos y él la rodeó con el brazo derecho y la sostuvo con tanta firmeza como pudo. Hundió la cabeza en su pelo y se puso a temblar. Las lágrimas también quemaban los ojos de Kylie cuando se abrazó a él con fuerza. El alivio era tan profundo que la debilitaba. Todo saldría bien.

—Te quiero —dijo Jensen crudamente—. Te quiero mucho, Kylie. Nunca querré a nadie como te quiero a ti.

—Yo también te quiero —susurró Kylie.

Jensen aflojó el abrazo lo justo para poder verle la cara. Kylie le secó las lágrimas de la cara y él hizo lo mismo con las de ella.

—¿De veras crees que esto puede funcionar? —preguntó Jensen, dubitativo—. Tienes que entenderlo, Kylie. Esa noche… Dios mío, esa noche fue la mejor y la peor de mi vida. Fue la mejor porque confiaste lo suficiente en mí para hablar abiertamente de tu pasado. Y después fue la peor… Ni te imaginas cómo me sentí cuando me desperté y vi mi mano alrededor de tu cuello, al saber que te estaba haciendo daño, algo que había jurado no hacer jamás. Me puse enfermo. Solo podía pensar en alejarte de mí tanto como fuera posible para no volver a hacerte daño. Moriría antes de hacer algo así, cielo.

Kylie le acarició la cara con ternura.

—Sí, funcionará. Haremos que funcione. Haremos lo que sea necesario. —Inspiró hondo y reunió valor—. Una vez me dijiste que debería buscar ayuda, y tenías razón. Pero creo… —Respiró profundamente de nuevo—. Creo que ambos deberíamos buscar ayuda, buscar una terapia juntos. Lo superaremos juntos. Vayamos paso a paso y ya veremos cómo van las cosas. Lo que no pienso hacer es alejarme de ti por un miedo ridículo a que me hagas daño. Solo me siento segura cuando estoy contigo. Ya sé que nunca me harías daño a propósito, Jensen. Ahora tienes que creerlo tú también.

Jensen le tomó la mano, se la llevó a los labios y le besó la palma. Kylie sintió en la mano los resoplidos erráticos de la respiración de Jensen, que intentaba recomponerse para contestar.

—Nadie ha tenido nunca tanta fe en ti como yo —dijo con la voz rota por la emoción.

—Y nadie ha creído en mí tanto como tú —añadió ella—. Como por separado somos dos personas jodidas de la cabeza, parece bastante lógico que nos llevemos bien y podamos estar jodidos de la cabeza juntos. ¿Quién nos iba a entender y a querer como nosotros?

Jensen rio suavemente. Oleadas de alivio recorrían su cuerpo.

—Me gusta la idea. Jodidos de la cabeza juntos.

—¿Entonces volvemos a estar juntos? —tanteó Kylie.

Jensen la abrazó con fuerza y la besó en la boca.

—Volvemos a estar juntos, ya lo creo. Supongo que bastará con que me azotes cuando sea necesario. Y estoy de acuerdo. Creo que a los dos nos vendría bien algo de terapia. No quiero volver a hacerte daño, así que estoy dispuesto a hacer lo que sea necesario para estar seguro de ello.

El alivio inundó el corazón y el alma de Kylie hasta el punto de debilitarla.

—Yo solo estoy mejor cuando estoy contigo —susurró—. Me haces creer, Jensen. Haces que crea que puedo tener una vida normal y una relación normal. Haces que tenga grandes esperanzas para el futuro. Pero solo contigo. No quiero nada de todo eso si no es contigo.

—No me puedo creer que te haya encontrado —dijo Jensen asombrado—. Eres perfecta para mí.

—Has sacrificado mucho por mí, Jensen. La generosidad de tus actos todavía me abruma. Desterraste a una parte esencial de ti mismo por mí. ¿Cómo quieres que no luche por ti, por nosotros, hasta mi último aliento?

Jensen le acarició la cara con suavidad. El amor brillaba con calidez en sus ojos.

—No ha sido ningún sacrificio, Kylie. El motivo por el que nunca había cedido el control antes era que jamás había encontrado a una mujer que me hiciese querer cederlo de verdad. Es un honor y un don, y lo digo desde el fondo del corazón. Siempre te pondré a ti y a tus necesidades por encima de las mías. Siempre.

—Te quiero —repitió Kylie, y el corazón se le hinchó como si le fuera a estallar.

—Yo también te quiero, cariño. Por suerte, tienes suficiente fuerza y decisión por los dos. Afortunadamente, no te has rendido, como iba a hacer yo. Esta última semana ha sido la más triste de toda mi vida. No quiero volver a pasar por el dolor de volver a perderte.

Kylie hizo una mueca triste.

—Tengo que confesarte algo. En casa tengo tantas botellas de vino vacías como las que hay aquí de licor. Además, anoche, Chessy, Joss y yo dejamos bastante huella en el mueble bar de Dash. Tengo tanta resaca como tú, o puede que incluso más.

Los ojos de Jensen se llenaron de dolor.

—Lo siento, cariño. Me esforzaba para no hacerte daño y solo he conseguido hacerte todavía más daño. Lo lamento. Si me das una oportunidad, te demostraré que no voy a hacerte daño a propósito nunca más.

—Eso se acabó —dijo Kylie dulcemente—. Para ambos. Eso es pasado. Ahora hay que mirar hacia delante, hacia un futuro más brillante que el sol. Entregarme a ti es lo mejor que he hecho jamás y nunca lamentaré ni un solo minuto de ello.

—Me alegra que te sientas así, cielo.

La expresión de Jensen se volvió más seria y la miró fijamente.

—¿Podrás soportar mi carácter dominador? Lo digo porque se manifestará, Kylie. En lo que respecta a ti, a protegerte y cuidarte, no sé ser de otra manera. En la cama, siempre te cederé el control tanto como lo necesites, pero fuera de ella, quiero asumir el mando. ¿Podrás soportarlo?

La inseguridad de sus ojos ablandó el corazón de Kylie.

—Sí, puedo aguantarlo —murmuró—. Me gusta tu carácter mandón. Os he cogido cariño a ti y a tu carácter. Un día... —Inspiró hondo antes de continuar—. Espero que un día pueda cederte el control en la cama.

Los ojos de Jensen ardieron. Acarició la mejilla de Kylie con la mano libre.

—Si llega ese día, quiero que sepas que te cuidaré y te trataré con mucho cuidado y mucha ternura. No quiero que tengas que lamentar hacerme un regalo tan valioso.

Sus labios se encontraron, entrelazaron las lenguas y Jensen se tumbó boca arriba llevando a Kylie consigo.

—¿Qué haces? —susurró ella.

Los ojos de Jensen resplandecieron y la volvió a besar.

—Estoy atado e indefenso, así que creo que podrías aprovecharte de tu hombre y hacerle el amor.

Ella se rio, y la risa sonó alegre y despreocupada. El amor que le llenaba el corazón había desintegrado la oscuridad de la semana anterior. Jensen le pertenecía y ella le pertenecía a él. Todavía tenían muchos problemas que solventar, pero sabía de corazón que podían superarlos juntos.

Con el amor de Jensen, podía ser la persona que siempre había querido ser y vivir la vida que siempre había deseado. ¿Había algo mejor?

Entonces, hizo exactamente lo que Jensen le había pedido. Le hizo el amor a su hombre.

Trilogía Sin aliento

de Maya Banks

ÉXTASIS
(Sin aliento 1)

Gabe, Jace y Ash son tres de los hombres más ricos y poderosos del país. Están acostumbrados a conseguir todo lo que desean. Absolutamente todo. En el caso de Gabe se traduce en hacer realidad una fantasía concreta con una mujer que era fruta prohibida para él.

Ahora ella está lista…

* * *

FERVOR
(Sin aliento 2)

Gabe, Jace y Ash son tres de los hombres más ricos y poderosos del país. Están acostumbrados a conseguir todo lo que desean. Absolutamente todo. En el caso de Jace, es una mujer cuyos encantos lo pillan por sorpresa…

* * *

FRENESÍ
(Sin aliento 3)

Ash, Jace y Gabe son tres de los hombres más poderosos de la ciudad y están acostumbrados a conseguir todo lo que desean. Para Ash, ahora se trata de la mujer que cambiará todo lo que él conocía sobre el deseo y la dominación.

* * *

Maya Banks

Maya Banks ha aparecido en las listas de *best sellers* de *The New York Times* y *USA Today* en más de una ocasión con libros que incluyen géneros como romántica erótica, suspense romántico, romántica contemporánea y romántica histórica escocesa. Vive en Texas con su marido, sus tres hijos y otros de sus bebés. Entre ellos se encuentran dos gatos bengalíes y un tricolor que ha estado con ella desde que tuvo a su hijo pequeño. Es una ávida lectora de novela romántica y le encanta comentar libros con sus fans, o cualquiera que escuche. Maya disfruta muchísimo interactuando con sus lectores en Facebook, Twitter y hasta en su grupo Yahoo!

@ maya_banks
Facebook: Author Maya Banks
www.mayabanks.com